世纪文景

北京世纪文景文化传播有限责任公司　出品

心术
六六
Angel Heart

世纪出版集团 上海人民出版社

这世界有三样东西对人类是最重要的，

FAITH（信），HOPE（望），LOVE（爱）。

我能看到的对这三个字最好的诠释，就是医院。

目录

2月22日

我今天看到一篇博文。作者有感而发，原文如下：

我就这样，一次次被代表着。

某些政协委员说，其实中国老百姓看病不难也不贵～～

他们举例说，假如你在新疆，非跑到北京去看病，那么看病肯定是很难的。你们为什么都要到大医院呢？小医院、社区里的卫生所就不能看病了？

我被这些有话语权的同学代表着，在全国政协会上，发了这么一通不是人话的言。

其实我也有话语权的，我经常在家里代表王德福同学发表意见，王爸爸就说过一句名言：王德福同学是最基本的被代表者。

比如我根本不经他同意，就擅自为他选择了一条猫处长的不归路，并以他的名义成立了斯利普斯坦大公国，还代表他单方面决定，今后都不买猫罐头了，我们家的每个人到了香港，都代表王德福同学吃了很多的鱼蛋……连他的压岁钱，也没经他的手，直接划进我的个人小金库里了……其实王同学这两年一直大门不出二门不迈的，他已经被我们代表着走南闯北很多地方，品尝了很多他闻所未闻的东西，看了很多他听都没听过的事情。但人家一点意见都没有，能吃饱饭再有个暖和的地方睡觉就可以了。相较之下，我偶尔被代表一回，也就一年一次的频率吧，就吱吱哇哇不开心，是不是人品比较低下呢？

但我怎么觉得我比王德福要凄惨啊？至少，王德福的咔嚓费用是我出的啊，不吃猫罐头改吃鲜鱼其实更有利于他的健康。我呢，还得工作，得养家，仰人鼻息之余，还要拼命瘦身强壮身体，保证自己不去看病……如果政协委员们能够像养猫一样把我养起来，不干活就能吃饱饭睡暖觉，我情愿被你们所代表！爱咋代表咋代表，不被你们代表我都不答应！

顺便感谢一下那些政协委员们的八辈祖宗！

文后的跟贴一片赞誉叫好之声，感觉抒发了老百姓胸中的郁闷。

通常作为一个医生，一个医务工作者，在铺天盖地的声讨质疑声中，我们都聪明地选择沉默。

人们心里都有个强势弱势的自然倾向性。

警察与被捉的百姓之间，警察是强势，老百姓是弱势。

医生与病患之间，医生是强势，病患是弱势。

城管与小贩之间，城管是强势，小贩是弱势。

弱势声讨强势是权利，若强势胆敢辩驳，那叫屎壳郎进厕所，找死。

我作为老百姓，显然是不同情警察和城管的。但凡他们出事儿，我也是义愤填膺或者拍案叫好。躲猫猫、俯卧撑、自杀鞋带里，我始终相信警察方面肯定有猫腻。城管要是被打了，我觉得那是小贩逼急了揭竿而起。富士康十二连跳，富士康说它不是血汗工厂，全国人民都笑。

所以将心比心，我知道我这篇日记一旦被公开，会被砸个半死。所以那篇博文的背后，没有一个医生敢斗胆发言。

我于是非常佩服那个说出中国看病既不难也不贵的委员，顶着锅盖前行是不易的事情。

我觉得，在中国看病，如果将资源进行合理分配，如果建立良好的分级制度的话，至少不难。

我们医院是全国三甲大医院，每天像菜市场一样大排长龙。而与我们一条马路之隔的地段医院，门可罗雀。

我非常不明白，为什么尿路感染、沙眼、脚气、感冒这样的小病，患者愿意忍受煎熬，苦等排队很久，就为在三甲医院看病，这不是轧闹猛吗？

如果所有人都涌向三甲，我不知道一级二级医院还有什么开办的必要，直接都被三甲并购掉，变成三甲附一、三甲附二医院不好吗？

医生学的书本知识都是一样的，不一样的是经验。越没病人，就越没经验。大家都说，我不去地段医院是因为那里水平不行。可是，没人给他们提高的机会，他们怎么可能行？

我完全理解病人的想法：我凭什么花我的钱，给他们练手？

我们科是被全国点名批评的看病难。病人投诉开一个刀长则等半年，短则等两三个月，任何时候来，都是没床位，等排队。我不知道曾经有多少病人在无望的等待中死去。我也觉得很 HOPELESS。可是我无能为力。每个人都在等赵教授、李教授，而这两个活宝可以说是全国的惟一。

医生是一个很奇怪的职业。几乎所有的职业都有兼容性和选择性，独独医生这个行业是排他的。学生考学校，考不上北大，清华也好，两者皆不取，南大也行。张老师是最好的班主任，进不了那个班，王老师也行。没人认为王老师带出来的学生全都是垃圾，大家都相信，老师只占人一生的成功因素中很小的一部分。

看病就完全不是这样。你得了疑难杂症得了绝症，但凡有条件，你一定会选这个行业里最最顶尖的好医生。医生没有好医生、次好医生、普通医生的差别，医生只有好和坏两类。我们只以效果论成败。能看好病的就是好医生，看不好病的就是坏医生。因为人的一生，职业也好，前途也好，你都有尝试和转变的可能，而生命，只有一次，不可逆转。

所以看赵教授的病号已经排到半年之后。他们愿意等。

他们宁可等着死，也要留一线希望给最好的医生。他们有一种神秘的迷信：这个病，如果连赵教授都开不好，那我也是死而无憾了，我已经尽了最大的努力。如果不是赵教授开的，是其他什么教授开的，有一点点遗憾，他们都会想：要是当初找赵教授开……

而"最"这个字，只有一个。

我们大多数人，工作了十多年之后，依旧不可能成为"最"。

所以在中国看病很难。

我也很伤感。

我不知道自己会不会成为被挂在橱窗里展示的大拿，哪怕在我再混十五年以后。这是我当主治的第四年，还没有机会看门诊，依旧在手术室和急诊间里混迹，甘当无名英雄。老板说的是正确的：医生这行业，就是论资排辈。我们绝没有压制年轻人的意思，我们巴不得你们个个都行。你随时可以去坐台门诊，问题是，得有病人点你的名儿。

他每次说这话的时候，我们都哑然失笑。形象得很——坐台。

我们就像坐台小姐一样，头牌红姐儿才有可能被追捧。

不同的是，小姐吃的是青春饭，我们吃的是老资格，这一点是惟一可以让我们聊以欣慰的。

2 月 23 日

今天是周二，是我们科"法定"的谈判日。所有的纠纷都留在不开刀的这一天解决。

那个家属，看起来很老实，话不多，但就是咬死四个字："我不接受。"然后就是压抑地抽泣。

我们对她真是一筹莫展。我也很同情她，壮年丧夫，两个孩子嗷嗷待哺，但我们不知道怎样才能让她接受这个现实。

她说："我不接受。"

她不接受的是"意外"这两个字。

其实，所有的病患都不能接受意外这两个字。他们分不清楚意外与事故的关系。人可以病死，那不是我们的责任，但人不能死在手术台上，因为那是我们弄死的。

我有时候真想愤懑地大喊一句：我与你家先生前世无冤，今生无仇，我为什么要害死你的丈夫！

我那天和一个外行朋友争论这个事情，他居然是同样的反应："是我，我也不能接受。"

"一个人来的时候好好的，也就眼睛视力有点模糊。那么年轻力壮的汉子，没两天就死在手术台上了。你让人家家属怎么接受？"

我不得不跟他说，我是人，不是神。我永远不可能跑在死神前面。以前古话就有：阎王爷要你十点走，你就活不过十点零一分。如果世界上所有的病医生都能看好，那么你到现在都能看见柏拉图和梁山伯在你眼前晃悠，你觉得地球能承载这么多的生命吗？

他说，什么是意外？意外就是纯粹找不到债主，只能自认倒霉的事儿。比方说我走路上突然被天上掉下的冰雹砸死了。这就叫意外。

"我出门如果被车撞了，对我叫意外，对车主，那叫事故，他得赔钱。我被楼上的玻璃砸了，玻璃的主人得赔钱。我被电线打了，电力公司得赔钱。我在医院看病，钱付了，我就是你们的上帝，你们的米饭班主，你收了我的一大笔票子，到最后跟我说，意外了，没了。凭什么我人财两空啊？"

我是医生，我不是奢侈消费店的职业经理。他眼里，我其实与那些提供跪式马杀鸡的女子没有任何不同。他到医院是来消费的，我于是要提供与他消费等值的服务，我只能成功不能失败。

可笑。

他一本正经地答我："一点不可笑。你花二十万买辆车，还没出厂，人家就跟你说，你的车动不了了。你要求退款，还不允许，到底谁可笑？你去商场买件衣服，钱付了，被告知无货，不退款，你答应吗？"

我不答应。

"你都不答应，更何况人家那是人命呢？看病不是个小花费，到你那里去看病的人，不少都是砸锅卖铁的，如果到最后人财两空，人家会怨你们为什么不早说，要是早说会死掉，那钱索性就不花了。"

他这一番话让我明白，原来，所有人都认为到医院是去消费，消费就要买到等值产品，而我们无法提供，至少无法保证百分百货物对版。

我要摆正自己的地位，我并不如自己想像的那样高尚，视拯救生命为己任。我首先要将身段放低再放低，放到与宾馆服务员和足底按摩师一个水平。

我太高估自己。

如果，看病不再是消费，不再是家庭负担，会不会大家就比较容易接受"意外"二字呢？

拿钱买命。这是普通人眼里的交易。

18楼有个亿万富翁，正值壮年，癌症晚期，跟主任说，我捐你们医院十亿元，你负责治好我的病。

主任笑着跟他说："你对我的职业理解错了。你不给我一分钱，我的责任也是把你治好。如果钱能买命，你觉得洛克菲勒王永庆会死吗？还有六个月，你现在要做的最主要的事情，不是治病，而是安排十亿怎么分配，千万别落得像王永庆那样的结局就好。"

2 月 26 日

今天老板不在，大师兄率我们查房。我喜欢大师兄说话的腔调，让你觉得人生无限美好。而且老板不在，心理上就很放松，不怕他突然问一个什么问题我没有准备到。

大师兄是个完美主义者。对着病人查看病理记录的时候发现病历上有一点撕裂的痕迹，就小心地从我们手里拿过胶布从反面粘上。他就是这样苛求完美的人，不假人手。他要确保那条胶布粘得严丝合缝，与病历浑然一体。

我第一次上手术台，就是大师兄带的。

我喜欢看他颀长的手指打外科结的样子，比女人绣花的指头还灵巧。据说他可以用一根头发盘出一个菩萨身下的九莲宝座，被我们笑称是练硬气功的。

他在手术台上，我们永远不烦恼，有无数的笑话和插科打诨。很长的一台手术谈笑间就结束了，还干净利落。小护士们都很饭他，有极好的女人缘。

某次手术过程中，剪刀掉地上了，二助护士蹲下身去拣，大师兄故意斜眼一看，然后笑说："你们脱光了站我面前我都没兴趣。我就是喜欢一眼瞄过去你们手术服下的一瞥，很是心动。"

小护士站起来作势捶他，面颊绯红。

我想，因为口罩下，你是看不见她们艳若桃花的。

今天大师兄查房，一进屋子，两天前开刀的 37 床就抱怨："刘医生啊，为什么我整天放屁？"大师兄笑眯眯地边填写日志边答："因为你要弥补臭氧空洞，保护环境。"周围一片笑声。大师兄拍拍她的床说："正常的，不用担心。"

38 床的病人问："刘教授啊，我都住进来三天了，哪天开刀啊！床位费好贵的来！"大师兄闭上眼睛装模作样地说："我给你掐指算一下啊！""啊！这还要算命的呀！""给你求个良辰吉日。手术顺利了不是皆大欢喜？主要是你这个手术比较大，不是微创了，大手术我们只安排在周三周四周五，周二我们不做手术，周一安排小手术。今天是周五，你最快也要到下周三了，耐心等待。"

"啊！要等那么久！"

"其实我比你还急，病床早一天空出来早一天进新病人啊！"他笑笑地摆手走人。

39 床是个七岁的小男孩，今天刚术后醒来，疼痛难忍，无精打采。刘教授走到他面前，夸张地说："哇！你的绷带！你的绷带好漂亮啊！哪个医生给你包的呀！头顶上像戴了王冠！我要给你拍张照片留念！"说完举起手机，冲小孩伸俩手指说："茄子！"小孩很配合地伸出俩指头，苦苦地咧嘴笑。

大师兄跟小朋友说："你的手术很成功，很快你就能上学啦，见到你的小朋友们。你喜欢上学吗？"

小孩答："我不喜欢上学。上学要写作业。"

"啊？这样啊！那你就留在这里吧，我再给你开一刀，就可以住久一点。"

孩子吓得大叫："不要不要！"

"你看，跟开刀比起来，你还是喜欢上学的嘛！明天你就可以下地走路啦！"说完作势要摸摸孩子的头，作出害怕的表情说："哎呀！我差点忘记了，刚才要拍你的头！"

小孩咯咯笑，痛苦少许多。

大师兄特别爱逗孩子，他愿意看到每个孩子都健健康康地离开。

因为他的女儿，今年六岁，患肾衰竭三年了，每周透析三次，脸色灰白。我们眼看着她一点一点弱下去，不知道还能支撑多久。除了换肾，她没有别的选择，而我们作为医生，都不能为她找到肾源。

我不知道这三年他和大嫂是怎么熬过来的，他依旧能保持这样的达观，我不知道他是装的，还是天生乐观。

每周日，雷打不动，他会带女儿出去到郊外，看枫叶，看溪水，看野生动物和植物。他说，等南南病好了，就可以像别的小朋友那样到处玩耍，上学。这个孩子，没进过一天学校，她最希望的事情就是有一天能够上学。南南一直相信她的爸爸，因为爸爸是医生，会治好她。

而我们都知道，她时日无多了，如果依旧找不到合适的肾的话。

3月2日

主任又把我们给震撼了。

据说今年三科状元在面试的时候因为几句话，就被主任给 REJECT 了。他还是那个观点，一个预备成为医生的人，首先要有一颗仁心，然后才去训练他的仁术。心术不正的人，是很难成大器的。

我常讶异于主任的鉴赏眼光，他除了拥有超乎寻常的判断力和外星人的大脑以外，还具有麻衣看相的能力。他如何在五分钟之内决定一个人的命运前途呢？我觉得报他研究生的人只有两种可能，一种是无知者无畏，一种是一片丹心照汗青。

本院的学生但凡内心对自己的品德有一丝犹豫或者对镜观察发现自己有奸人之相的，一定避而远之。记得当年我们宿舍小林有意报考主任研究生的时候，除了考试，还要对着镜子观察自己是否站有站相坐有坐相。我们逗他："你肯定不行，因为你长一副三角眼。"最终他真因为那对拿不准的三角眼而放弃报考。而外校学生大多呈一时之气，依仗自己的才能底蕴。主任的高徒大多仪表堂堂，一身正气，是单从气势上，估计就能吓退死神的那种。

"相由心生。"主任挑学生，比挑老婆还挑剔。

某日我们几人正感叹主任相面之准时，大师兄冷不丁来一句："未尝不是严师出高徒。以主任的作风加上火眼金睛，身边的人只要还有些追求的，基本就主动自清了。他那个组淘汰率极高，受不了的人学了些皮毛就速速逃遁。不过，出去以后只要不在这个城市，任何一地的三甲医院，都能混个一把手。"

我有不同想法，却不敢说。作为医生，仁心固然重要，但仁心大于仁术，怕也不会是好医生。我觉得我就有一颗慈悲为怀悲天悯人的菩萨心肠，路边走过一只小强我都舍不得用脚踩死，顶多用乙醚闷倒。而且我从小到大一直都是优秀少先队员、大队长、班长、劳动委员。我曾经捡过数次钱包交公。送迷路女孩回家一次（后来把她泡成我的女友）。她被我的善良感动，死心塌地要求跟我。我多次学雷锋，做了好事也记日记，等着万一有一天牺牲了树我为标兵的时候有先进事迹可表扬。可是即使有这样优秀的道德品质，我相信病患依旧不会允许我为他们开颅。虽然我已经开了，瞒着他们偷偷干的。

我们是小组作业，我负责打前站，而最后的胜利果实都被我的大师兄二师兄和老板拿走。病患家属泪流满面表示感谢的时候，谁都不知道我是一个默默无闻幕后奉献的英雄。当然我一点没觉得愤愤不平，因为我不过在重复前辈们走过千百回的路，老板经常唏嘘当年不仅仅是开颅，光是给患者剃头都剃了好几年，因为当时没有护工。虽然俺不相信他的段子。

一个医生，也许抽烟喝酒好色贪财，但他有着三十年以上的医龄，医术出众，无人能及，治愈率达到 99%，另一个品学兼优德才兼备，是未来医坛的后起之秀，但治愈率只有 20%，你作为患者会选谁？如果你有勇气选择我，我真的感谢你的八辈祖宗有这样的勇气。

呵呵，我偷偷挑战一下权威。在专业上我是没有这个能力的，但在言论上，我要享受一下这个自由。

我今天晚上起要把我的反动日记锁好，连小蕾都不许看。

这世界人心隔肚皮的，她今天是我的女友，明天就有可能是我的仇敌。尤其是在二十年以后，也许我功成名就动点歪心思，有抛弃糟糠之妻的念头的时候，保不准那个几十年的枕边人就把我的反动日记揪出来批斗，万一那时候俺们的主任已经荣升为院士且长寿……妈呀，太可怕了！

3月5日

今天三台手术。这是我们的正常量。

我喜欢自己套上手术服，一脚踏开手术室门的感觉。每天都如第一次相见般怦然心动。我到现在都记得高中时候父亲开脊椎瘤的时候，我在门外等候的心情——恐惧，害怕，头疼欲裂。父亲进去的时候是有呼吸的，出来的时候也许已经冰冷。没有人告诉你这个手术成功把握有多大，总是告诉你无数的死亡可能。你在跟医生对话的时候才第一次意识到，生龙活虎的人，竟然这样脆弱，甚至一口痰都能将你送进鬼门关。父亲被推进那扇门的时候，我们就已经无能为力，将一切交给老天爷处理。

所以我对那扇门的恐惧直到第一次进手术室前都无法克服。

立在阴阳两界中间的那扇门打开以后你才发现，完全不是普通人心目中的感觉。手术室更像一个艺术工作室，纱布和脑棉类似雕塑家的油画布和剪刀双叉，钩镊就是雕刻工具，而你即将展开的作品就躺在手术台上安静地等待你的雕琢。

我喜欢脑锯开颅的声音，有点像凿开一个椰子壳，而随锯飘散的骨屑像四月飘散的杨花柳絮。红色的血液与透明的椰汁没有任何不同，你只需将它轻轻拭去，迅速找到出血点并将它止住。如果从颈下入手，你就会看到纹理清晰、岩石般层次分明的肌肉呈现在你的面前。

大师兄曾经说，开刀就是打仗，开刀的目的就为了取出一个瘤子，就好像打仗的目的是为了占领一座城池。也许一场关键战役只打了一天，前期的准备要做一年。为接近那座城池，你要排兵布阵，你要修渠挖壕，你要有充足的粮草供给，你还要培养奸细。我们的奸细当然是CT，它会告诉你肿瘤的具体位置、方向、大小，但如何接近它，拔掉它，过程是极其漫长而复杂的。而当你终于绕开地雷，剪断栅篱，阻断高压电，悄无声息地走到敌人面前的时候，你真的不敢相信！——它是那样的……美丽！

这是我第一次见到肿瘤的感觉。我一直以为肿瘤是黑色的脏兮兮的令人厌恶的东西。可在我看到生平第一个活生生的肿瘤的时候，我竟然爱上它了！它太美了！鹅黄色的肿瘤外表包着透明的水膜，轻轻一戳，晶莹如露珠一样的水滴汩汩而出。如果你看过银河系的图片，你会爱上颜色形态各异的星球，有火焰的红，有沉静的蓝，有翡翠的绿，有拖着的迷幻尾裙。而肿瘤，就是这样美丽的东西，让你目眩神迷。

第一次走出手术室，我扶着外墙闭眼回味。二师兄一边摘手套一边笑问：感觉如何？

我说，感觉美极了。我天生就该做个医生。我太喜欢这种感觉。你相信吗，我喜欢肿瘤。

二师兄说，我相信。如果我们都讨厌它，怎么可能跟它们打交道这么久？这是人之常情，没人能够一天到晚与自己深恶痛绝的事情和平相处。我告诉你，今天只是你们的初吻，你仅对它有个皮毛的了解。随着岁月的推移，你会越来越爱它，越来越着迷，要是玛丽莲·梦露生个瘤子站在你面前，她的性感双峰敌不过她的瘤子对你的诱惑。我告诉你，你爱一个女人也许只能维持三五年，你爱肿瘤，会是一辈子的事情。女人，你看多了就是一个样，天天吃一道菜吃个十年八年怎么都会生厌。而瘤子这个东西吧，就好像让你夜夜换新娘，个个都如花似玉，想不爱都不行。

怪不得人说外科医生这个行业干久了，开刀成瘾，一天不上手术台就失魂落魄。原来是没尝到新娘的滋味。这个行业的代表人物就是我的老板，他简直快到了宁可撑死不能饿死的程度。哪天要是没排手术，他会勃然大怒："你们怎么排的啊！一周就开四天刀！还叫我轮空！"要是今天有一台手术，他会说，太少；两台手术，马马虎虎；三台手术，小CASE；四台手术，有点多；五台手术，老头子扶着板凳都快站不起来了还说呢："过瘾啊！不过下次尽量不要安排这么挤了，年岁不饶人了。"

他开刀已经到了出神入化的程度，复诊病人跟他说姓名他是记不住的，你只要掏出片子给他一看，他就跟与老情人相会似的脱口而出开刀全过程，完全不用调病历。

昨天二师兄的一台手术都要收官了，老板进来对着盘子里的肿瘤碎片看一眼，二话不说拿起刮匙在颅底探索片刻，掏出一小块碎片丢进盘子里，狠狠地白了二师兄一眼。

下午的时候老板就在嚷嚷："霍思邈呢？让他过来！我要骂他！手术做这么多年了，手感一点都没有的啊！3×5的瘤子有没有挖完一点数都没有吗？"我们一面打哈哈，一面派密报让二师兄赶紧出去避一避风头。

下午一台风险很大的手术进行得极顺利，我们归结于运气。老头出来的时候喜笑颜开，上下通气，我们再赶紧把二师兄叫来让他过去。

二师兄马屁一阵猛拍，李教授啊！今天手术顺利的嘛！开得漂亮的手术见过，开得这么漂亮的手术，真是世间难找啊！老板得意之情溢于言表。

"李教授，你找我？"二师兄趁机递话。

"我什么时候找你了啊？"

"啊？小郑说你找我，我查完房就赶紧过来了。"

"哦！没事，没事。"老板"没事"二字刚吐完，就想起了早上那台手术："你小子，我跟你讲啊，你离精还差得远来！手感，手感这个东西很重要。"

二师兄点头哈腰："手感是什么？手感就是经验嘛！我要是像您那样开过一万个病人，不用看片子我都好开了。"

"你个小猢狲！不看片子好开的啊！你开给我看看！我又不是 X 光！"

云淡风轻飘过。

我经常想，老板要是退休了不能再上手术台，师母就会遭殃。他每天得堵多少无名火啊！

很多医生到老了退休以后每天哪怕在门诊坐一下都是舒坦的。他的一生奉献给了医院、手术台和病人，骤然离开以后的失落感难以名状。

成就感，这个东西对每个人都很重要，它让你觉得活得很有价值。

而成就，是时间堆积的。最终江湖上德高望重者，大多源于长寿。活六十的人再神勇，都不如一百二的人有名。姜太公之所以作为"君子三立"的典范载入史册，你要相信是因为他活得长久。如果他在当时的平均寿命四十岁上死去，他肯定没有机会八十二岁还钓鱼了。

病人踏进医院大门的时候，有的舌头拖了二尺长，有的血流如注，有的坐着轮椅或者靠人搀扶，大多数人都流着泪，怀着焦急的心。

他们躺在手术台上被全麻以后，你根本感受不到那是个有生命迹象的人，如果不是监测仪的滴答起伏声提醒你。

手术过后的第一天，他们无比痛苦到无法忍受，呻吟之声不绝于耳，可我心里非常清楚，第二天他们就能坐起，第三天就能拔掉所有的插管，第四天他们就扶着窗台看窗外一片生机，第五天，他们拎着大包小袋千恩万谢着离去。

这样的流程在过去的十年里我已经熟稔于心。

这是我心灵最好的安慰剂。

清心："你就会看到纹理清晰、岩石般层次分明的肌肉呈现在你的面前。"

如果是开颅手术，应该看到的是像核桃一样的大脑吧？好像这样更形象一些。

对不起六六，我不是砸砖啊，我只是看到了就想说，怕你这长篇时间长了我忘了，如果不对，算我没说啊。其实写得挺好的，写关于医院的事我感到比较亲切哈，你继续。

- -

六六：哈哈，一看就知道你没见过现场。

不是的。颈项的颅骨后面是很厚的肌肉，跟中跟高跟鞋一样厚，那种厚底鞋，然后才是脑膜，才是脑。外了吧？

我没见以前，跟你一样感觉。

我今天晚上上神经外科急诊，运气真是不好，都快下班了，碰上个车祸的人。家属形容得挺轻巧，什么眉骨破了，请大夫看一下。

结果进去一看，脑干下丘脑都坏了，腿是僵直的。僵直的概念你们肯定不知道，太恐怖了。就是你抬起他大腿，一个完全无意识的人，小腿是冲天的，不是耷拉下来的。

还有尿崩。真是第一次见识了啥叫尿崩。

医生看看瞳孔就说，没救了，九死一生。

其实这个人心跳还在跳，时快时慢的。一会上一百八，一会儿到一百二。

我没敢看，最后拔管前我撤了。

浑身冒寒气。

恐怖。

进手术室我一点都不害怕。

但晚上看到那个人，我真是怕得不敢走夜路。

我觉得是信念。在手术室里，那个人看起来没生命特征，但我知道手术以后他就会恢复，没事了。

而晚上车祸这个，看起来没啥事，结果竟然不行了。

生命真脆弱。

20

3月6日

　　小蕾刚从我这里走，床上还残留着她的肉香。（我的天哪！为什么非常美好的一件事儿，给我一形容就醒醌不堪呢？）今天晚上是她的大夜班。凡是医生护士，没一个不憎恶大夜班的，小蕾是个异类，她一到上大夜班就开始兴奋。用她的话说，从午夜开始，整层楼，所有的病患、护工、特护、家属、器材、药物，包括桌子板凳，都归她一人管，她最喜欢当领导的感觉。因为长这么大，从没当过干部。

　　这是我和她最本质的区别。我从上幼儿园起就当班长，到小学的大队长，到中学的学生会主席，一路保送到博士，一路当干部。我经常想不通像我这样的优秀杰出人才为什么会喜欢上这个数学一塌糊涂、脑子迷迷糊糊的小姑娘，惟一的解释就是给世界寻找平衡吧！如果我们以后结合，我们的家庭平均智商水平还是应该能够达到平均线的。

　　我第一次见她是在急诊间，那时她刚上班不久。过了冬夜之后，夜里打架斗殴喝酒闹事车祸的发生几率就开始增大。每每急救车到，尤其是昏迷患者，都是神经外科、骨科、普外、心肺联合会诊，在确定谁家的责任最重之后，将病人倒手。但因为我们院我们科最大，所以急诊病人一到，护士在搞不清楚状况的情况下就会先广播呼唤我们科。那天我当班，小蕾紧急万分呼叫我，我奔过去一看，只不过是个手腕割伤的病人，伸手在脸蛋上抹了一把，与脑子一点关系都没有。我正要冲那个大口罩发火，却见她摘下口罩一脸白痴样地说："我看他满脸都是血啊！怕他脑子坏了啊！"搁平常我大约会回一句："你脑子坏掉了！"那天我竟然一句话都说不出，套用二师兄的话：见过漂亮的护士，没见过那么漂亮的小护士！真的很像 A 片里的制服女主角！

我于是说了在这种情况下大多数男人都会说的言不由衷的话："你真是个有爱心的好护士！"见色忘气，俺羞愧地掩面而走。气与不气的标准在于护士漂亮不漂亮。俺不算最好色的。俺二师兄昨天做大手术，要求护士递个正向刮匙来，美小护同学找半天连递三个反向的，且大言不惭地说没看见有正的。结果……俺师兄现场拿个止血钳给扭了一个。我咔咔咔咔……

小蕾同学作为刚入行的小护士，还是比较单纯的，落了个脾气好涵养好的口碑。希望她五年之后依旧保持这样的姿色与笑容。五年以上的护士，俺是没见过有笑脸的。不怨她们，我要是被常年累月颠三倒四的作息折磨，加上病人的呻吟，家属的呼唤，超负荷的体力，不时被责骂且低薪无假，我也不会开笑脸的。我们把护士们称作苹果。第一年来都是十六七岁花一样的红苹果，脸色红扑扑，水灵灵；熬了一年的夜班以后就变成青苹果，黑眼圈，面色发青；第三年就是黄苹果，那种黄蕉，一片蜡黄还长着斑；从第四年开始，就是不能看的烂苹果了。熬夜对女人的伤害还是蛮大的。

小蕾家境其实很好，父母是政府公务员，爸爸还是城建局局长。爹妈都反对她做护士，她自己非要干。我曾问她为什么，她说她喜欢"白衣天使"这个称号,感觉与她的美丽相配。我逗乐她文学水平不好,不理解白衣天使这个称号其实是个精神安慰奖,男女都用的。男医生也是白衣天使,因为天使本来就是小男孩的扮相。真正夸女人美丽的词,得是妖精、模特之类的。一个女人再漂亮,整天穿着白大褂,围着口罩,戴着帽子,哪还看得出美丽?什么时候女人被称作白衣妖精,或者白衣模特的时候,那就是赞扬了。小蕾突然来一句:"你提醒我了,要是护士服改革一下变成模特穿的三点式,会不会投诉就少一半?最少男病人就不投诉了。"我一拍她脑袋:"你这个猪脑子,女病患不让丈夫来医院照顾,你不是更累?男病患再想方设法赖着不走,我们床位更紧张了。"

小蕾一点不挑剔。对于我这样一个没钱没房没地位的小医生,她从不抱怨,既不拉我逛街也不要求我陪她看电影,俩人惟一的娱乐就是躲在我租来的 15 平米的小屋里看书。我看我的专业,她看她的专升本。而且,她居然说她喜欢住我这里,因为上班近,走着就能到,现在已经离开她家的大三室,公然搬过来住了。我的衣柜本来空空荡荡,从她搬来的那天起骤然堆满。墙上贴的都是大嘴猴卡通画,满屋子芳香。

两个人难得约会,我是迟到大王。我的时间没办法掌控,说好六点见面,她在院门口等我,突然就会去一个电话告诉她得七点半了,那一个半小时,她会不急不恼地逛遍周围小店。我想这也是医生配护士的主要原因,只有她们可以 FULLY UNDERSTAND。二师兄最少三个女朋友是因为他的惯常迟到而拂袖而走。就他这样的,还下定决心不找医生不找护士不找同学不找同事,设立个"四不找"标准,他除这几个范围以外,还认识谁呀?

不过也难说,他最近好像跟一个病患家属眉来眼去。

想起小蕾的另一个笑话。一个脑干出血的病人急诊,瞳孔一大一小,提示脑疝,非常危急。总住院遂带领大家紧急抢救,让小蕾观察瞳孔情况。抢救进行中。问:瞳孔?答:一边大一边小。继续抢救。问:瞳孔?答:一边大一边小。继续抢救。问:瞳孔?答:还是一边大一边小。继续抢救。忽听她说:一般儿大了!集体长出一口气,却听她继续说:……都大了!于是全体医护人员丢盔卸甲,哄堂大笑,总住院跟家属汇报情况的时候一个没憋住,又笑了出来,被死者家属投诉。

这就是我的小女人。

我半夜过去看看她,给她送点吃的。她这一夜太辛苦。

以前二师兄曾经总结过,为什么男医生通常搭配女护士,据说一是没时间谈恋爱,整天泡医院,见到的都是女护士,二是深夜你下了手术台一开门,有个女护士给你捧来一碗热腾腾的方便面就能把你给彻底感动。他就是这样被他的前女友泡到的。后来发生了翻天覆地的变化,他和我一样,经常半夜里被他的妞电话叫起来给她送外卖。要指望护士照顾医生,那是不可能的。

这就是我未来的生活。

> METEOR:看到急诊科分诊那段,使我想起,以前在急诊科轮转时,半夜三更送来一个打架斗殴的,满脸是血,一伤口从额头到脸颊,护士找来三个医生缝合,眉毛以上归脑外,以下眼科,脸颊属口腔。

3月7日

今天小蕾差点被打。

上周五我抢救的一个酒驾超速车祸患者，被送到医院的时候脑干严重损伤，腿都僵硬了，尿崩，连下丘脑都伤到，基本属于九死一生的主。各项评分加起来是4，语言1，反应1，总之什么都是濒死状态。通知家属做好心理准备的时候，家属哭成一团。

费了九牛二虎之力，死马当做活马医，总算从鬼门关拉回了一寸，现在也是在生死线上徘徊。据说，当时一车四人，三人当场死亡。这个人是驾驶，他居然是个宝马7系的车主。而宝马车显然光注重豪华了，忘记设置安全系统，车撞成那样，气囊一个没开。

周六深夜，患者的妹妹从台湾赶来，哭死哭活要求探视。非探视时间已经给她通融了，突然见她从包里掏出一张黄纸，说是从一个什么极其灵验的庙里求来的，拿到符的一刻就是她哥哥血压下降的一刻，全家捧着那张救命符一脸虔诚地要求贴在床头。庙里的方丈说了，符在人在，符掉人亡。

护士长一听，坚决拒绝。护士工作已经很忙了，谁还能专门派个人替她家看护那一张符啊！万一一阵风吹过符掉了呢？万一哪个清洁工没注意给扯了呢？万一仪器移来移去碰掉了呢？责任谁担？再说这里是医院，是有规章制度的，床头除了贴医嘱、护理等级，哪能谁想贴什么就贴什么。今天要是允许贴符了，明天就会有人来烧香，后天就有人请道士来捉鬼，大后天就来这里办法事，医院本来就比菜市场还热闹了。

一个不同意，一个非要贴，顿时剑拔弩张。病患家属狠言相向："人死了，就是因为你们不给贴符造成的！死了做鬼都不放过你！"

俺的小蕾关键时刻来了一句："符既然这么灵验，你们把病人带回家去，贴自己床头好了，还要我们医生护士干什么？"

老拳差点砸到她鼻子上，幸亏护士长有经验，一个箭步将小蕾扑倒。

我见到小蕾的时候她还愤愤呢！笑着刮她鼻子："你就算不能救火，也不要引火上身。人家本来就在要失去亲人的当口，你何必将人家逼到死角？听说这家伙家产过亿，是一个大企业的掌门人，年纪刚三十七八，他这一走，一家大小连个仰仗都没有。你哪怕就从人道主义出发，也不要呛人家了。"

小蕾突然眼泪就掉下来了："到底谁没人性？这个要死的人，是他们家的顶梁柱，是他们家的利益所在，人要是走了他们家就垮了。说到底都是私利。可他们有没有想过我们？这个人送来的时候和死人有什么两样？我们费了多大的劲把他救活，我一夜不睡地抢救他，我能从他的生里得到什么好处？我为什么要费这样的辛苦去救他？就为每个月两千块钱我费得着花这样的心血吗？我对得起我的职业和我的心，可他们连最起码的尊重和感恩都没有，他现在活下来，全部是符和和尚的功劳，他要是死了就是我们的过错。如果是这样，他家人为什么不送他去庙里，却要送到我们医院？我们没有功劳，连苦劳都没有，我难道不寒心吗？

我说这句话有什么错？"

我答不出。

我只能以病人的心去想，一个临死的人，家里能抓住的任何一根救命稻草都是希望。这个符就是他们最后的希望。我既不愿意破坏他们最后的支柱，也不愿意承担我无能为力的责任。这是两难的抉择。

我抱着小蕾，亲亲她，抱抱她，刮刮她的鼻子，突然我问："刮鼻子的刮怎么写？"

小蕾一愣，说："怎么写？提手旁的吗？"

"小笨蛋，刮风的刮呀，舌头的舌加个立刀。"

她还一脸迷惘。

我在她手掌上写下。

"啊！你说是刮宫的刮啊！刮匙的刮啊！切！不专业！"

我大笑。她的幽默感，永远是这样即发的。我希望她多笑笑，少哭哭，永远没烦恼。虽然这就像物理上的匀速直线运动一样，只是一个理想状态。随着现实的推进，她的心会越来越坚硬。

"小蕾，你还喜欢当护士吗？"

"喜欢的。"

"哪怕人家骂你？"

"大部分人都是好的呀，上个月出院的王妈妈今天路过这里特地给我买了点心。很多人很懂道理的。我怎么觉得越有钱的人越不通人性呢？王妈妈那么穷，你对她一点好，她都记得。开宝马的，你对他再好也没用。"小蕾顿一下，泄气地说，当然，"我对他好，他的确不知道了，很有可能到死都不知道。"

"不是的，小蕾。这世界，无论什么行业，无论什么地方，都是有好人有坏人。好人永远占多数，坏人永远占少数。所以世界才没乱了套。要是世界上善恶不分，是非混淆，我们就变成暗黑帝国了。"

小蕾忧心忡忡地说："别的地方我不知道，但我觉得医院真的快变成暗黑帝国了，每天都上演打砸抢，全武行。我要告诉我的小学妹们，除了学打针，还要学女子防身术。NND，今天那个人的妹妹，太壮了，怕有180斤吧！给她打到我要半残了！"

六六：这是个真实的过程，全程我都在场。那个人，就是周五晚上我以为死掉的男人。所有人都觉得他不行了。即使在所有人都觉得他已经死了的情况下，依旧没有放弃地去实施所有的抢救措施。

你知道对一个死人干活的感觉吗？明知道无望还是要去做。

我觉得医护人员是极其坚强而充满希望的，明知不可为而为之，最后关头就是有奇迹发生。这个人在经过十几个小时的抢救之后，就回来了。当然，我要作为患者家属，在被医院三次通知做后事准备以后，又被告知没死，肯定会相信这是神的保佑。人在绝望的时候，只有神是你的支柱。医生的力量依旧还很渺小。

但我希望这个家属不要把医生伤害得太厉害。因为医生是人不是神，他们要是真的放弃了治疗，我看就是玉皇大帝来，都不行。管子一拔，啥都没了。这个人到现在也是在生死临界线上。生靠的也许是老天爷帮忙，但死不死的绝对看医生态度。

但我内心里非常清楚，无论病患家属什么态度，医生护士再委屈，内心里是有杆秤的，不会因为你的无理取闹而放弃一条生命。《圣经》上说，这世界有三样东西对人类是最重要的，

FAITH（信），HOPE（望），LOVE（爱）。我认为，我能看到的对这三个字最好的诠释，就是医院。

3月9日

今天我们敬爱的朱主任又被投诉了。我们笑坏了，越是德高望重，越是投诉大王。这没办法，干得多，错得多，不干总是没错的。

他的错永远是态度。医务处的同志们委婉提醒他多次了，除了医术高明以外，还要态度谦卑，现在患者是老大，患者不买你账，你被投诉率太高，要影响你们科的精神风貌小红旗的。

朱主任无可奈何，依旧好脾气地口头答应了。今天他突然一本正经地召开会议，要大家群策群力，看看怎样才能让患者觉得他脾气好。全场掩面而笑。

全国涌来看他的病人坐船坐飞机坐火车长途跋涉，在医院门外自带铺盖卷，买黄牛号也好，网上挂号也好，彻夜排队也好，费时费力好不容易轮上。一进屋，朱老就伸手拿片，无论你怎么主诉症状他是不听的，只在片子上扫一眼，蹦出"开刀"二字或者"不开刀"三字。患者再问什么时候住院，就回一个字："等。"再问等多久，没话了，下一个病人已经进门。我要是被他看，也会被活活气死。为见活菩萨一面费尽周章，见了以后就这样热脸贴冷屁股，谁都受不了。

朱主任委屈得不行，我们一面批判他，他还一面申辩："我是外科大夫呀，不是老中医或者内科大夫，我这个不需要问长问短的呀，来我这里总归就是为了看病，瘤子拿掉了你什么症状都没了，瘤子拿不掉，我说一箩筐话，你还是难受呀！再说了，一下午就三个小时时间，我要看六十个号，一个小时二十个号，一个号三分钟，还不包括人情号、加塞号、院办带来的，会算术的人都算得出的呀，三分钟我要看片子，判断能不能手术，怎么手术，还要安排病床，怎么跟你寒暄、安慰你情绪呢？我认为医院应该设立一个专职的情绪安抚员，专门干安抚工作，不要让我来干这些事情嘛！"

大师兄说："主任啊，人家就是要听你讲话，其他人安慰没用的。"

几年前朱主任问诊的时候，我是那个跟后面开药安排住院的小助，我知道他的苦楚。门诊病人只是他大量病人中的一小部分，还有熟人介绍来的，还有领导派下来的，还有病患口口相传堵他家门口的。他就一个人，不是千手观音三头六臂，能处理过来就怪了。

院里接到的最经常的投诉就是消费欺诈。意思是我挂了你朱主任的号，奔的是你朱主任的名而来，排的是你朱主任的病，最后出院小结上写得分明：主刀的不是你朱主任！你这不是欺诈是什么？

我泱泱大科，光医生就一百多号，要是病人都只看朱主任的，就他一个人开刀，全签他的名字，你们信我也不信啊！他一周就四天开刀，病人却一百多个，你相信他一个人一天能转场二十多台吗？有些瘤又不是疑难杂症，不过是普通的脑膜瘤垂体瘤，我们这里最小的副教授都随便开开，你非要强迫朱主任开做什么？

对患者来说，脑子里长瘤那是不得了的大事，对我们来说，瘤子也分三六九等，普通瘤子，杀鸡焉用宰牛刀。你到底要的是结果，还是享受过程？包你人没事，十天之内出门不就行了吗，来的时候又是功能障碍，又是斜瘫软烂的，走的时候神气活现，到门口咬我们一口，真是的！

当然，要是我，也是很痛苦。花了平板液晶数字的钱，到手是直角平面，钱还没少付，总有不爽。

这个世界，真的是很难平衡啊！

朱老今天对护士长说："宝珍啊，我需要很多的病床！"

宝珍笑着说："大家都需要。你不要再特权了，我也要投诉你。"

老头无奈地摇头："都欺负我。"

小医生有小医生的烦恼，大医生有大医生的烦恼。

六六：俺跟着坐台门诊半个下午，啼笑皆非。同学们哪，你们是真不知道看门诊有多热闹。俺坐在吴教授身后，听某女如下对话："医生啊，俺们那边的医生让俺过来看看，说俺有垂体瘤，麻烦你给看看。"

吴教授："你没有垂体瘤，CT里没有任何明显指征说明你有垂体瘤。"

"可俺为啥不怀孕呢？"

"这个你要问妇科大夫。"

"妇科大夫说了，俺不怀孕是因为长了垂体瘤。"

"可我说了，你没有垂体瘤。你相信我还是相信她呢？"

"俺不是不相信你，可俺要是没有垂体瘤，为啥不怀孕呢？"

"同志，你到底希望长瘤还是不希望长瘤？"

"俺不希望。"

"那我跟你说了，你没有垂体瘤啊！你去妇科再看看，你们当地如果妇科能力有限，你就在上海红房子、一妇婴这样的地方再看一看。首先我这里确定地告诉你，你没有垂体瘤。"

"可他们也跟我说没有问题，就怀疑是垂体瘤。"

"你丈夫查了吗？"

"查了呀。他没问题。大家都怀疑我是垂体瘤……"

我咔咔咔咔……

我和吴教授身边的小助都笑得不行了，也亏他绷得住，估计见怪不怪了。而那妇女还一脸茫然。

我前一向遭遇过身边的熟人不孕的痛苦事件，我知道其中有多么的艰难困苦，该干的啥都干了，就是不孕，我绝对不责怪这个病人的一口咬死，无论你怎么解释都不撒口。原因是，你能吃的药都吃了，能干的事都干了，能去的地方都去了，能花的钱都花了，什么结果都没有，你怎么甘心？

俺还碰到这样的 CASE："大夫，这个药我不敢再吃了。我想怀孕。"

"你想怀孕所以才让你吃的呀！"

"我怕小孩畸形。"

"可你要是不吃这个药，连小孩都不会有啊！"

"可吃多了生个畸形小孩也不行啊！"

"不会的，国外文献显示，这种药吃过以后和不吃药的妇女相比，致畸率是一样的。你懂我意思吧？"

"我想手术治疗。"

"我不推荐想生小孩的妇女手术治疗，因为手术治疗两年内胎儿死亡率高达 40%。"

"你给我开个刀吧！"

......

　　吴教授那一个下午就致畸率这样一句话，最少说了五遍，我敢断定，在他的职业生涯里，这句话已经说了一千遍，而未来还要说个一千以上遍。

　　每个职业都有它特有的语言，是你作为从业者必须反复说的。就好像我作为幼儿教师，每天对小孩说："上厕所要举手，小便大便要告诉老师。"我从不觉得厌烦，因为我知道这是我的责任之一。

　　我想医生也是一样的。

3 月 11 日

通用汽车要倒闭了。股价一度跌到 1.27 美金，这是该公司 75 年来的最低点。

通用公司要是不倒闭才奇怪，倒闭是正常的。加拿大工人的平均小时薪水是 22 美金多一些，而汽车工会的工人时薪是 62 美金。这种造价的车，在世界各国都是没有竞争力的。

但通用公司倒闭的原因分析之一给我感触很深：美国通用汽车公司平均每生产一辆车就要拿出两千美元支付员工的医疗开支，通用汽车认为"高昂的医疗成本使美国制造业在全球竞争当中丧失竞争力"。

我的同学在通用上海工作，我打电话问她通用倒闭对她们影响大不大，会不会引起裁员风潮。她说："一点都不大，没影响。整个通用，赚钱的就我们这块。不过奖金也不发了，都被美国那块要死掉的拿走了。"

中国对美国乃至世界的贸易顺差为什么这么大？大家不知道想过这个问题没有？

不管多便宜的订单，利润多低，沿海江浙小厂都做得下来。最重要的原因是劳动力成本低。什么叫劳动力成本低？这里就包含着许多的牺牲：没有加班工资，没有养老金，没有医疗保险，没有必要的工作安全保护，什么都没有。如果把一切都规范起来，加班给双倍工资，工作时长保护，必须的安全保障，加上养老金和医疗保险，其结果是立竿见影的：相当一部分工厂就关门不做生意了。做不了。

如果中国能够做到，每部汽车里面含有两千元人民币的医疗开支，每支牙膏里含有两毛钱的医疗投入，每个人的工资里有一部分强制性医疗保险，中国人看病还会这样难和贵吗？

中国看病贵不贵？

我觉得一点也不贵。中国最便宜的是人工。普通挂号两块五，专家门诊十四块，前一个是工作十年的医生的价值，后一个是工作一生的大夫的价值。而这一部分钱还要被医院拿走，落到我们自己口袋里的九牛一毛。

我们做一台手术，从护工的搬运到护士的准备，到麻醉师的检测，到辅助医生的开颅缝合，到主刀大夫的取瘤，全程耗时最短三个钟头，长的就说不好了。一台手术人工收费多少？一千块以下。而往后住院的护理，护士是不收费的，那部分叫买一送一。这一千块，大多数是被医院拿走。这个我们承认合理，医院造的大楼，买的地，用的设备，还的贷款，每项投入不都要钱吗？在上海的这个地段，在我们院停车一小时收费十块，停车一天收费八十的寸土寸金之地，在我们对门的茶餐厅吃一顿咖喱牛肉饭要三十五块的地方，最便宜的就是我们了。美小护同学那天在发感慨，她妈妈病了，她没时间照顾，所以负责出钱不出力，家里请的保姆，算受过一般护理训练的，一个月三千五还包吃住，比她挣的都多。"啥训练啊，连换尿盆都不专业，扁马桶会塞漏的哦！估计顶多受过不到一个月的训练，文化程度初中。这样的人都可以拿得比我工

36

作十几年的人高哦！"

一台手术开下来到最后结算三万到八万不等，器材费远高于人工费。开刀是不值钱的。器材费要是再不提成，医生不要活了。当然，提也轮不到我们提。现在说来说去都是可持续性发展，我也希望病患同志们换位思考一下，上海这个城市，一平米房子均价两万五，而这个价位的房子在外环。我们医院附近的房子，雅士园一平米八万，水榭轩六万五，就连最最便宜的老公房，都要四万出头，我们怎么生存呢？我们连生存都很困难，怎么谈得上可持续性发展呢？我们都不发展了，你们看病找谁呢？

看病贵，最主要的原因就是从病患个人腰包里掏钱了。中国老百姓辛辛苦苦省吃俭用，一个子儿掰两半花，存一辈子的积蓄，到老都丢进医院，当然心疼。美国看病贵不贵？法国看病贵不贵？我相信以他们的人工，加上药物研发的时间和经过 FDA 批准推广上市的难度，每一颗药都是金子。你在美国如果没有医疗保险，贵得让你不敢进门。为什么他们的矛盾不那么突出？

关键在于投入。我想。

美国每年在医疗方面的投入是全国 GDP 的 15%，以 2003 年的数据显示，该年投入为 16790 亿美元。（数据来源 http://view.news.qq.com/a/20081016/000013.htm）而今年 1 月 21 日，国务院常务会议审议通过的决议上，国家一咬牙一跺脚，三年内各级政府预计投入 8500 亿元人民币。

为拉动内需，国家救市计划四万亿。这四万亿里，受益最大的是铁路、机场、电站等基础设施，这部分钱投进去是有产出的，回报是看得见的，实实在在的，能收得回本的；另一部分资金则投入到节能环保等民生领域，同时扶持中小企业，调动民间资本投资。这部分钱投进去也许短期看不到效益，但长远来看是有回报的。

但这些钱里，有多少投给医疗？医疗是个无底洞，投进去连个声音都听不见，多大的窟窿都填不满。

没有投入，钱都要从老百姓自己口袋掏，看病肯定是既难且贵的。人人都看得起病，我想这是一个梦想。像马丁·路德·金说的那样，I HAVE A DREAM……

TROUBLEMAKER：六六，看着看着突然觉得很绝望，

为了你即将展开的这个真实但是无奈的世界，

告诉自己必须沉住气继续看下去。

六六：不要紧的，茶包。

医院是一个矛盾冲突最激烈的地方。我们所有的人不是每天都面对生与死的抉择，而医院每天都在重复上演。

但你要知道，绝大多数人是康复出院的，这就是这个行业依旧吸引着人们投身的原因。

你愿意看着他们从坏变好，就好像你欣赏孩子一点一点长大。很多医生都告诉我，虽然有这样或那样的抱怨，但他们还是喜欢这个职业。

3 月 12 日

二师兄的春天到了！

临下班来了个会诊病人，在 18 楼高干病房，点的是大师兄的名。今天遭遇百年不遇的线路检修，谁都不愿意爬上去。大师兄推二师兄去看，二师兄推大师兄去看，最后俩人建议杜丰生先去打个前哨，没啥大问题他俩今天就不上去了，等明天一早来了电乘电梯过去看。

不多会儿，小杜回来了。问他情况如何，小杜一脸严肃，说："我有两个消息，一个好消息一个坏消息，你们要听哪个？"

大师兄说，先听坏消息。

坏消息是，问题大了！麻烦得很！

二师兄再问，好消息呢？

好消息是问题不严重。

俩人的脚都踹过去。

小杜一脸神秘地说："老头的病，一点不严重，我看严重的那部分应该是归口腔科管，不归我们管，明天就可以退回去。但我相信你们一定不舍得退回去。"

俩人都懒得搭理他，不是我科的病人我们向来不搭理。

"那个人的女儿是上戏表演系的学生，惊为天人！我看完以后就跟她讲，你父亲的情况不是一般的严重，可能需要大夫们来会诊，你等着，我去叫人。我这就奔下来通报情况了。"

二师兄嗖地蹿起来跑出房间，把我们给反锁在里面，他在外面喊："你们谁都不许出来。就在这里老实呆着。不要跟我抢，不然我在你们饭里下砒霜。"最后一个字应该是在两层楼之上飘下来的。

三分钟之后他就下来了，打开门问："18 楼几号病房？"

小杜说："1805。你就为这个回来，干吗不打手机？"

"手机忘带了，走得太匆忙。"

小杜赶紧递手机过去。

"记住，十分钟后打我电话，就说有急诊手术。万一不好看，我就撤了。"

十分钟后我们再打他电话，手机关机了。

两个钟头后，大师兄都下班回家了，二师兄才进来，进门就跟我们宣布："从今天起，我禁止你们任何人踏上 18 楼半步，包括大师兄。谁去我跟谁翻脸！还有小杜，你替我想个法子，这种不明原因的神经痛能扣他多久就扣他多久，越久越好。成败在此一举。"

小杜说，顶多一天两天，做个扫描什么的就差不多了，道理上说应该没有肿瘤的迹象。

"查！没有肿瘤也要查出肿瘤！就这么定了！"

二师兄又上 18 楼了。今天晚上不知道他还打不打算回家。

我问小杜那姑娘长什么样，他说比高圆圆好看。

我都想上 18 楼了。

3 月 14 日

昨天晚上夜间收一个急诊，大面积脑损，开刀到今天凌晨，很累。没回去，直接在值班室睡了两个小时。

早上查房的时候，看见二师兄跟小杜在嘀咕，小杜说给 18 楼设计了 PAT 的全身检查，因为仪器已经排满了，所以需要等两天才能做。二师兄说请他吃午饭，对面的沈家私房菜，并要求自己去跟病患谈。

等中午回来，二师兄就有点垂头丧气。说，女孩子讲的好多电影和好多演员都不认识，名字听都没听过，感觉交流起来不顺畅。我们忙着把他残留的记忆碎片给拼出来，拼出以下作品：《飞跃疯人院》、《女王》、《百万英镑》、《卡萨布兰卡》。又找出以下残留人物：罗伯特·德尼罗、海伦·米勒、格利高里·派克、英格丽·褒曼。还有一个大师，我们谁都不知道的，我被派了任务，回家当科研课题去攻关，明天早上来交资料。

我们跟二师兄说，你这样谈恋爱不行，被她牵着鼻子走，咱的生活你又不是不知道，视野就那么窄窄一条，除了手术就是门诊，除了夜班就是查房。N 年不休假，没有任何娱乐。你跟娱乐圈的人谈娱乐，这叫自曝其短，要跟她谈科学，谈生命的奥秘，谈医生的伟大，要把她拉进你的圈里。

二师兄说，不行，天生英雄气短，一个学医的理科生还偏偏对艺术有景仰，一听那姑娘谈艺术史话，就有将她拥入怀抱的渴望。

小蕾同学在旁边突然插一句："是先有将她拥入怀中的渴望，然后才对艺术景仰的吧？次序不要颠倒。"

二师兄还辩解说，真的是对艺术很崇拜，顺带连搞艺术的人。

大师兄坏笑着说，最后一句话最在点子上：搞艺术的人。所有的"搞"字，都是动词上披着形容词的外衣。明明是奔着搞而去，却披上热爱音乐热爱绘画热爱艺术的遮羞布，热爱什么是虚的，热爱的那个人才是实的。认识你十年了，第一次发现你原来是狂热的艺术爱好者。

二师兄很丧气地说："医生这个行业把我给毁了。上大学的时候我也是个文艺青年，还读点茨威格什么的，也弹点吉他。怎么十年医生当下来，觉得自己像个木头一样，已经跟社会和娱乐圈完全脱节了。最近死的几个女演员，一个都没听说过。"

"你管谁死了干吗，那几个本来就没什么名气。你要能把活的之间的家谱弄清楚了就不错了。首先你就研究一下李亚鹏娱乐圈的复杂图谱吧！"

"活的没啥可显摆的呀！通过这些故去的人，可以分析一下病情，谈一下演艺圈的人如何防病抗灾，平日里注意点什么，话题不就出来了吗？"

被我们一阵狂扁，连死人都要利用，这个人真是丧心病狂，真的可以作为医生行业的败类拉出去批斗，如果谁需要反面典型，我们是赞同把二师兄拖出去的。

下午的时候，二师兄已经在看《演员的自我修养》这本书了。

3 月 16 日

今天碰到很丧气的事。

前一向的一个医疗纠纷今天判下来了，毫无悬念地是我们输。现在病患已经找到窍门了，只要是患者告医院，一告一个准，稳赚不赔的。医生治病的同时，还得防着患者害你。如果一切顺利皆大欢喜，彼此都是朋友，但凡碰到一点意外，日子很不好过。

我很难跟所有的患者说明白，人体的构造极其复杂，这是一台无可复制的仪器，同样的病灶同样的瘤子甚至同样的大小，开出来以后暴露在你面前的情况是截然不同的。CT 能看出来的只是表象，等你深入进去以后才发现各个瘤子千差万别，有的瘤子天生就比较蹊跷，长得另类，有膜的，无膜的，有血的，无血管的，有畸形的，有寄生的，有瘤套瘤的。所有的情况，都在开颅以后的一刹那才知道是简单还是复杂。这就是为什么每次跟病患家属谈话的时候，我们永远只能说一个概率，最好的状况也只有 95%，没有一个人敢拍胸脯保证百分百成功。

进科以后的第一件任务就是写病史，这是个极其繁琐而乏味的工作。开刀也好，诊断也好，是自我提升和挑战。而写病史这件事，就好像一个原本是挥舞青龙偃月刀的英雄,手里举的却是扫帚,你要认真推敲每一个字,争取做到万无一失。而病史这个东西是没有范例可寻的,没有人告诉你什么样的病史是完美无缺的典范,这个不像是公文,找到模式,往里面一套,换个会议的名称和地点就能为你所用。这个不仅是记录病人的病情、治疗方案、术后愈合的资料,也是以备未来打官司的依据。一个病史,任何大夫拿起来都有修改的余地,总是不能尽善尽美。

组长教导我们,写病史看起来是最基本最没有技术含量的事情,却往往是医生生涯的终结书。要想做一名成功的医生,首先要保证自己是一名医生,有行医的资格。保护自己,这是医生的首要任务。

我最初听到这句话的时候非常难受,感觉与当初我作为医生在旗帜下的誓言差距太大。我的任务是治病救人,挽救生命,而现在首要任务是保护自己。

几年下来,我已经完全明白了组长的意思。一个人如果连自己都不能保护,如何谈得上保护其他人的生命?

这个打赢官司获得赔偿的病患,从良心上说,我们没有一点对不起他的地方。手术极其成功,肿瘤清除得非常干净,原本是可以写进教科书的典范,但术后发生了并发症,这些事情是我们无法控制的。我们能够摘除他脑子里的瘤,可无法保证他的心肺功能正常,无法保证他血液通畅,无法保证他消化系统不出现意外。这是我们的痛苦。我们内心的难受并不比患者家属少。设立一套手术方案,把一个病人从死亡线上挽救回来,手术做得很成功,痊愈可期的时候,病人出现这样或那样的问题,一旦撒手而去,对我们的打击也很大。你的努力没有得到回报,你以为的成功以失败告终。

而最后,我们与病患家属对簿公堂,我们站在被告席上。

这个我们已经司空见惯了。

这个案子让我们难受的是，原告席上的律师，以前曾是我们的亲兄弟，一个战壕的战友。

我进医院的时候，他已经辞职不干了。曾经是我们科很有前途的一个医生，正值年富力强，因为一个案子的判定，他负有责任，医院赔偿80%，科室10%，他个人10%，大约八千块的样子。

八千块，葬送了一个顶尖的医生。那个案子，我们谁都知道，他很无辜。你怎么能保证你的病人不会在术后即将出院的前一天胃出血而死？

他在两个月没拿到工资以后，第三个月连辞职信都不交就不告而别。他的档案，到今天也许都在医院人事处。

他用了一年的时间考了律师资格，专门接医患关系的案子，一接就赢。没谁比他更清楚医院的勾勾回回，没谁比他更擅长挑出病史的疏漏。他拿他曾经学过的 12 年的知识，调转枪口专门攻打他的同事。

残酷。

我知道这个职业深深地伤害过他，这个医院曾经在他最需要帮助的时候没有保护他，他现在所做的，是对我们的报复。

无言的伤痛。

一个曾经的战友，现在变成一个讼棍，以玩世不恭的姿态站在我们的对立面，冷笑着看他的同伴用与他一样的姿态倒下。我们不愿意称他为叛徒，只能说，道不同不相与谋。

今天，科里的气氛很沉闷。科会上，通报这个事件和责任人的时候，在座的每个人都心有戚戚焉，谁也不知道下一次例会上，被通报的是不是自己。我听得出，副主任宣读通报的时候声音的颤抖。读完以后，他深深一低头说："对不起。"

几个女医生眼圈红红的。

沉默良久，没有一个人发言，会议几近散场的时候，主任突然说："这是好事。"

大家都愣住了。

主任说："这是好事。"

他连说了三遍这是好事。

"这个世界上，所有英雄式人物的故事都是相似的，无论是西方的《奥德赛》，还是东方的《西游记》。在你通往成功、一战成名的道路上，要经过九九八十一道磨难。孟子说，'天将降大任于斯人也，必先苦其心志，劳其筋骨，饿其体肤，空乏其身，行拂乱其所为，所以动心忍性，曾益其所不能。'医生就是一个成就英雄的行业。生命就是我们承载的天降大任。当你选择读医科的那一刹那，你就要明白你所踏上的将是怎样一个征途。它不仅仅是科学的殿堂，更是社会的殿堂，你如果不是一个怀有梦想的人，你如果不是一个非常清楚自己为什么要从事这个行业的人，如果你当初选择医生是冲着高收入、高地位来的，你很自然就会在这个过程中被自然选择出去。

"我的很多优秀的学生，他们的技术可能是一流的，他们的智商可能是卓越的，可是，他们就是差了那么一点点东西，他们会半路逃走。有些人当了几年学生就不愿意做了，我恭喜他们，在年轻的时候他们就发现这样一条艰苦的道路不适合他们，他们还来得及转行。有一些人当了几年医生不愿意干了，我祝福他们，不干医生，干医药代表也很好，收入比医生高得多，得偿所愿。但我更珍惜我们留下的这个团队，珍惜你们。你们是去伪存真，流沙沉金。你们比金子还可贵，你们是钻石。

有些人天资可能比你们好，可他们没成为一名合格的医生，因为他们差了一点点东西。那一点点东西，你们有——信念。一个有着坚定信念的人，才会在我们这里经历各种打击磨难而无怨无悔。我相信，你们这些人，最后的墓志铭上都会刻着两个字：英雄。

"今天是一个让人难过的日子，大家都有些消沉，我知道。你们可能看着以前的同事站在病患的一面对我们伸出匕首感到痛心。但我要告诉你们，我很高兴。我很高兴这样一个不合格的医生自己从我们的队伍里逃走了，他验证了我一贯的理论，作为一个医生，首先，你要有仁心，其次才是仁术。有了这一点，你就成功一半了。一个没有善心的人，一个心术不正的人，是永远不可能成为一名合格的大夫的。散会。"

主任之所以在我们这个科里到今天地位都至高无上，其原因就四个字：德高望重。群众为什么需要一个领袖，因为这是你的精神支撑。在你脆弱得即将倒下的时候，有人搀扶你一下，推着你继续往前走。大师兄二师兄都说，一台手术，只要主任在后面站着，哪怕连片子都不看，他们都很有信心，因为知道出不了任何问题。我称之为心理未断奶。我的心理也未断奶，事关人的生死的问题，我总需要在判断的时候得到师兄们的肯定。

我想，今天，我们全科都很脆弱，都在质疑自己为什么要选择这样一个吃力不讨好暗无天日的行业。主任的话，就是那剂强心针。这世界，很多东西可以用物质来衡量，房子、车子、衣服、化妆品……而有那么一些东西是用金钱买不来的，荣誉感、骄傲、被人肯定，并且相信自己是英雄。

我相信，我的未来，一定是英雄。

网友：给六六提供点素材：

我公公两次心梗都是在上海甘泉医院抢救的。第一次我到医院时，公公已经心跳停止，耳朵发紫。旁边有个老头已经死亡，因为要等儿子到医院，还在抢救室躺着。医生用电击抢救，这时的我没觉得害怕，知道作为媳妇是要站在边上的，只是没来由的一下子脸色发白，呼吸困难，不是靠意志力就能控制的，赶快走出去解开皮带吃了保心丸才平复下来。

第二次心梗，大概在2000年，我到抢救室时，也不行了。当时就有两个人跑上来和我说有一种进口药效果很好，是不是要用。这时抢救室的医生过来，我说只要医生表态，他说该咋办咱就咋办。这个有腿疾的医生非常好，他让我别着急，说可以先用其他措施，等等再说。那两个人就一直跟着那个医生。后来我才明白，这两个人是医药公司的，那个药要一万六，要是用的话，他们就到公司去取。结果那个医生一直顶着压力，没理他们。公公最终平安无事，这个医生既有仁心也有仁术。

大家都说这个社会风气很坏。这几年我一直陪老人看病，舅舅肺癌五年，从开始到去世，我一直陪他看病，公公也有好多病我也一直陪。我碰到的医生都比较好，不知六六是否想知道患者病情和家属心情一类的。

我觉得医生这个职业的特点就是内敛。他们说话不说满，高兴不外溢，悲伤不展露，所以你才会永远觉得他们冷静，而不理解的人就以为那是冷酷。其实他们的心极其火热，他们的情感非常丰富，他们的思想很有内涵。

红眉：给六六一个真实素材：

1996年，我男同学（也算发小）的老婆怀孕了，男同学出差了。他老婆比较骄傲、性格闷，因为婆媳关系一般，发烧了没跟婆婆说。

等我同学回来，发烧好几天了，去医院检查，医生说孩子死了，羊水都绿了。

马上找熟人，住到最好的医院妇科引产，用了极好的抗生素，据说一支三百多，一天用四支。婆婆也尽心照料，终于好得差不多了，该出院了，我买了东西去看她，全家都在医院，开开心心客客气气的，真替他们高兴。

这时候，病人说她的眼睛有点小问题，啥问题我没记住，说反正现在住院，一起治疗了吧。于是，男同学去找熟人，到眼科找了"好"大夫。眼科大夫也没要求病人转病房，也没和妇科主治医生碰头会诊，直接到妇科看了病人下了药，因为病人不愿意动弹。都是熟人么，怎么方便怎么来。

这个治疗眼病的药是激素类，和原来妇科用的抗生素发生了强烈的反应！病人体内细菌又激活了，没有再高级的抗生素来治疗她。最后，血液里都有脓，病人死的时候，据说是脓堵住了动脉静脉。

病人死了，我男同学二十七岁成了鳏夫。

没有找医院吵闹，没有索赔，中间都是熟人，认命了。

女方家里悲痛欲绝，女儿嫁过来半年人没了！我男同学会做人，跪在老人面前说：后半生我是你们的儿子，我给你们养老送终。

我男同学后来又婚了，始终没要孩子，我们都不问，怕他伤心。

算是给上面那个夸医生的反例。

ADVICE：怕怕！

也给六六提供一个素材。

我妈妈心脏病住院，胸闷，一分钟间歇约一次，老病号，打两个星期吊针而已。

一直是一个女大夫查房，一天来了个年轻男孩。照例先用听诊器听，很严肃地说，嗯，一分钟间歇四次，脉搏三十五。我直接就晕了，怎么突然这么严重了？更可怕的话从他嘴里吐出来："你这种情况，住院期间平均脉搏三十多下，少的到了二十几，间歇又这么严重，得安心脏支架。"我的心脏骤停，不能呼吸了："前面的张大夫一直说没大问题嘛，怎么突然这么严重了？从来没听说我妈妈脉搏少于五十的，记得昨天还六十嘛。"年轻大夫又仔细看了看病历："哦，对不起，拿错病历了。"

好嘛，敢情听诊器就是做做样子！

六六：我这一段在医院呆着，很快乐。因为精神上很充实，而且还不花钱。

我觉得国家可以给医生的钱再少一点。因为他们反正也没时间消费，拉动内需医生肯定做不了啥贡献。要是把他们的钱给我花，内需一下就上去了。我整天呆医院里，现在连饭钱都免了，就吃盒饭，也不差。

还有好色好客的吴教授请吃甜点和咖喱牛肉饭，我一直怀疑是他们小金库的钱。

妈呀，他要是看到，明天是不是就不请我吃饭了呀！

我最近这段时间花钱真省。我出门都坐地铁，不开车了。半个月没加油，也没停车费。也不出去逛街，也不网购。我要是这样子，真的很像赚钱机器。

请有识之士赶紧来谄媚我吧！

芸芸：我不是有识之士，但我谄媚你，能帮你花点钱吗？

3月17日

祸兮福之所倚，福兮祸之所伏。

橘逾淮而北为枳。

先哲之所以称之为先哲，就是因为他们的话在被历史反复验证着。同样的一件事，发生在不同的人身上，竟然有悲喜两重效果。

今天18楼的PAT片子出来了，居然被二师兄的乌鸦嘴说中，没有肿瘤，硬生生查出肿瘤。二师兄在拿到结果的一刹那，面部表情之奇特可以用戏剧效果来表示，你说不清楚是懊恼还是欢喜还是自责还是感谢上天。

他迈出办公室的脚步，一个是沉重的，另一个是轻快的。在他身上我看到了《指环王》里的小妖怪，一个人身上有着两重天。

他在护士长宝珍以及护士们的打理下整装待发，她们怕他一不小心嘴角露出愉悦的笑，把他头发打乱成休·格兰特的颓废状态以示伤感，把他的嘴角往下拉，把他的手放在冰水里泡。据护士的经验，悲伤的人都手脚冰凉，像他这种发情状态下，浑身的滚烫肯定要泄露胸中的邪恶。

那位老先生，因为生了位如花似玉的天仙宝宝，现在就只能在我们医院长期驻扎下来。他最好祈祷他女儿快点嫁给我二师兄，不然他真的是只能站着进来，躺着出去了。

美小护同学气鼓鼓地说，那个小骚货今天发痴了。

我们不知她在说什么，她说她刚才看到老二的时候在他屁股上摸了一把，结果老二居然像触电一样逃开，嘴巴里还说："小美同学，请你自重啊！"这个小骚货，今天发痴了。美小护又恨恨加一句。

我们也认为二师兄今天比较反常。平日里他和美小护同学打情骂俏搂搂抱抱那是常事，吃饭的时候相互喂都有过，怎么摸一下屁股就不自重了。若这样看来，他平日里骨头连二两都不到。

大师兄正好过来，听美小护嘟嘟囔囔，突然就问："你在哪看到他的呀？"

"18楼啊！"

"废话，谁让你在那摸他的呀！等下到4楼，你看看他还是不是老虎屁股摸不得。"

"几楼摸有关系吗？"

周围一阵爆笑："关系大了去了。"

二师兄又是表情复杂面色奇特地走来。

大师兄在他肩膀上一搭说："我刚才去18楼了。"

"哪个允许你去的！我早就警告过你不要踏上那层楼半步哦！还有美小护！你竟敢摸我屁股，你胆子太大了！你要记住，医生和护士永远是不平等的，只能我摸你的，不能你摸我的。"说完，在美小护的腰上拍了两拍。

大师兄说："我去是政治任务。许局长太太三叉神经痛，在18楼，要我过去看一下。这可不是我要去的啊，是领导钦点的。"

二师兄一脸媚笑地说："局长夫人可好？我还记得上次我陪她做体检的时候，她夸我是少年得志前途无量呢！等下我过去跟她打个招呼。"

大师兄笑了："她刚才也是这样夸我的。这是她的惯用语，和你好、再见、谢谢是一样的。请你不要当做尚方宝剑。"

"我早跟你讲了不要踏进18楼半步，无论是小芹的爸爸还是局长的夫人，我都顶得住。我天生爱挑重担。你不要跟我抢。"

"你做你的猪八戒，追求你每天都在梦寐以求的爱情，让我做沙僧好了，我就追求我的功名利禄。以后年轻漂亮的姑娘都归你，年老持重的夫人们都交给我照料。对了，我刚才不晓得是不是眼花，看见一个姑娘在18楼尽头的窗口哭泣，一个穿白大褂的男子搂着她安慰。"

全场哄笑，哗然一片。已经搂上了。二师兄的步伐够快。再有个三两天就可以鸣锣收兵。

二师兄不好意思地说："你们不要瞎讲，这是出于人道主义的人文关怀。人家一个小姑娘，知道父亲得了肿瘤，一下承受不住。我安慰一下。"

"你跟她讲，这个瘤子是良性的了吗？"

二师兄迟疑一下说："还没来得及。"

被我们一阵暴捶。

3月18日

病这个东西不是生出来的而是查出来的。

我们科医生都迷信这一点。

不知道就是没毛病，知道了才是毛病。很多人到死的时候才被发现有垂体瘤。如果有一百个人生垂体瘤，发病的只有一个。但并不意味着他没病。史蒂芬·金有一部作品说的就是有个人在娘肚子里把他的孪生兄弟给吃了，他兄弟变成一个瘤子长在他大脑里。这种寄生胎是有的，也许伴随你一生都不知道。

18楼这两天要开刀了，主刀大夫是组长和二师兄，但出于对下属和学生的关怀，组长承诺，成功了功劳是老二的，失败了责任是他的。但这个妞他要是把不到，丢脸是大家的。

"我会像亲人一样对待你的父亲。"这句话是我们这两天见到二师兄的招呼用语。那天他对姑娘说这话的时候不巧被路过的护士听见。大师兄给他总结说："'会'这个词用得不能恰如其分表达你的心意，你应该用'希望'。我希望你给我这个权利让我像亲人一样对待你的父亲。"

"已经给了。昨天晚上我让她回去睡，我陪的夜。"

众人哗然，大家都说，今年我们科应该是全市精神文明标兵，医生不仅无微不至地关怀病人，要求病人查出肿瘤，向病人传授医学知识，请病人吃饭，还要守夜。

老头就要开刀了，一个礼拜之后，看样子这个姑娘要成二师兄的瓮中之鳖。

今天全科的人都心情极好，温柔有加，态度和蔼。

上个月从我们这里康复出院的一位病人从云南空运来一大箱的郁金香，各种颜色都有，整层病房留香。小护士们的帽檐上都别了一朵，很是明媚。连病人的情绪都不那么烦躁了。仅仅花而已，效果竟这样大。

这是我们科最愉悦的时候，每每收到千奇百怪的礼物。

我们曾经收到过一大袋地瓜干，陕西黄土高坡产的，奇甜无比。

还有盱眙小龙虾，野生的。病患家属自己从田里一只一只捉来的，一蛇皮口袋，还有一大锅自配的调料。

还有奇怪的水果叫释迦，长得像释迦牟尼的头，是海南空运过来的，据说抗癌防病。

还有狼犬，说是送给我们看门。考虑到门卫有可能失业，增加社会失业率，我们让一个小护士抱走。抱走以后的很长一段时间每逢医闹过来找茬，我们都很怀念那条据说已经长到一百斤的狗。

还有绒毛玩具和拖鞋。

最奇特的是有个老农，他儿子驾骡车翻山沟里，脑缺损，修复工作是我们做的。两年之后他捧着一个泥巴盆来献宝，说是自家地里挖的，考虑再三，我们建议他还是交给当地政府，怎么看怎么像古董。最终竟因此而挖出一个什么侯的墓穴。

赠人玫瑰手有余香。

这是我们最快乐的时候，感觉一切的付出都是值得的。

3 月 19 日

日子是犬牙交错着前行,时悲时喜。欢乐总是短暂的,长久的是痛苦。漫长的痛苦才越发让我们珍惜并不断追求快乐、回味快乐。

今天我们科又上演全武行。最后110都来了。110现在也不起啥作用,主要就是拉开对峙双方,然后要求我们牺牲一下,以"河蟹"为重。

这个病人到我们这里的时候,主诉头疼,拍片结果显示脑上皮细胞出血。我们建议他留院观察,如果情况没有恶化就出院,如果恶化就开刀。住了两个星期,出血点没有增加,情况没有恶化,但患者头痛没有减轻,我们建议他去我院下面的康复医院继续观察,这也符合双向转诊的制度。因为这里的病床要流转,还有比他更严重的人要进来。

他不愿意去下面的医院,自行回家了。隔几天他自己去另一家三甲医院再诊断,那边的医生给他开了刀,取出了脑子里的血块,症状消失了,他于是天天来我们这里吵,什么庸医,骗钱医生,没有良知,要我们退给他一万块的检查住院费用。

病人以疗效作为评判的惟一标准。他们自身的感受是最准确的,在我们这里两个礼拜头一直疼,第三个礼拜做了手术以后不疼了,于是前两个礼拜的治疗就是无效的。想起以前的笑话，一个人吃馒头，连吃六个不饱，第七个饱了，于是说，早知道前六个不吃了。

说实话，我们到现在依旧坚持我们自己的判断，认为他目前开刀并不是最合适的时机，他脑子里的淤血液化需要一个月的时间，那时候开刀才能取尽。现在开刀只是拿出其中的一部分，而残留的另一部分梗在那里不通畅，有可能引发第二次脑梗。这就是我们为什么建议他继续观察的原因。我们不是赶他出院，而是建议他在没有生命危险的前提下换一家地段医院继续观察，有问题随时回来，这不是我们的不负责任，而恰恰是对更多的人负责的表现。具体到每个病人他们会觉得自己受到不公平的对待，但对整体范围而言，它会更加公平，这也就是法律制定的意义。

我们不可能把医药费退给他。

若是退了，所有人都认为我们的确技不如人。我们科的牌子要倒了。

那家医院的医生，对待病患的处理也不能说是错误，因为他短期内的确缓解了病人的痛苦，虽然还有开第二刀的可能。当然我也不知道他们告知病人了没有。

科学允许探讨，允许学术之争，治疗方案只要你说得出道理，它就不是事故，不是恶意伤害。但现在你非要我们承认他们对我们错，我们不能接受。

哪怕去医疗机构鉴定，哪怕打官司，我们都敢站在台上公开辩论。

但我们最怕的就是你拉着横幅向所有不明真相的人说我们道德败坏，只顾赚钱，黑心医生，且上演砸玻璃，砸门，殴打我们。

你让我们尊严丧失殆尽，你在辩论之初就用袜子塞上了我们的嘴巴。

一场拳击比赛，开局之前，我们的手脚已被束缚。

我只有挨打之力，没有招架之功。

以前朋友跟我说起日本黑社会，说日本黑社会在日本境内甚是呼风唤雨，井然有序。他们以为自己很行，出去跟人争地盘，到了亚洲其他国家，被打得落花流水。原因是日本黑社会也讲武士道精神，开打以前要下战书，两个帮派照会挑衅的时候，由什么等级出面摆POSE，摆什么POSE，即决定了这场争斗的规模。到了香港，双方还没接驳，连躬都没有来得及鞠，对方上来就揍，斧头、榔头、刀枪、棍棒、锅盖、砖头能拿的都丢过来，日本帮吓得夺路而逃，损失惨重。从此龟缩日本地界再不出门，因为世界乱了，除日本以外的地方完全没有规章制度。

我大笑，觉得这个比喻用在我们身上很形象。有时候纷争起得完全没有道理，而你未开仗以前就被判定在舆论上输了。

六六：故事的另一面：

这个故事是真实的，我亲眼看到。

如果我作为局外人判定，我认为这所医院真是不道德，让人花了一万块的检查费用，从X光到CT，从普通到专家，弄了半个月，什么毛病都没查出来。到另一家医院看过以后，开个刀，好了。这不是庸医是什么？这不是骗人钱财是什么？

这样的信息接收多了，我们大部分人的心里感受是：现在的医生医德医风极差，根本就是草菅人命。什么都金钱挂帅，连人命也不放过榨取的可能。这是我们大众对医生不信任的原因之一。

不信任，却又依赖。

防备，却要谄媚。

希望攫取信息，又要靠自己判断。

我们在互相提防的日子里提心吊胆。

何止是医院呢？

我们进超市要寄存包。超市管理者也知道，这世界上小偷只占 10% 都不到，90% 的人都是良民，可就为了防备那 10%，他们会为剩下的 90% 都围起栅栏。这就是信任缺失。

我们看到马路上有老奶奶跌倒，本能要去搀扶，心理又害怕她是碰瓷，讹上自己。如果有路人作证，留下相关信息及手机号才敢上前搀扶，否则好人宁可不做。为什么基本的善良都要遭受折磨？正常的良知都不敢表露？因为有前车之鉴。南京著名的彭宇案是个非常恐怖的案例，让你知道，好人尽量不要轻易去做。人在善与恶之间艰难行走，你不知道人之初性本善，还是人之初性本恶。社会没有一个公定的道德标准了，于是一切行为举止得靠你自己凭当时的判断力来衡量。

夜路行驶，如果你看见路面有人横卧，你会停车吗？还是绕道而走？

如果是我，我选择绕道。我首先得自己活着，才能保证我的孩子我的家庭幸福，我能为这个社会继续贡献能量。如果我因一时善心大发而停车，被一群人打劫敲诈勒索甚至丧命，我是对自己的不负责。这样的案例爆发了不少。

这世界大多数人是善良的，恶性只有一小部分。而因为这一小部分的影响，大多数人将心底的善念包裹起来。

我离去之后，也许很久良心不安，我要忍受自己对自己的折磨。

而这种折磨久了，我就认为这是正常的。我的同情心在减少。

我已经很少给路边缺胳膊断腿的乞讨者零钱了。

我知道有乞丐组织，而且专门绑架小孩致残。

如果不是对身边的人，或者巨大的自然灾害，我已经不想再捐钱了。搞不清楚哪些是真哪些是假，而痛苦太多我一只手盖不过来。

现在连巨大的自然灾害来了，要不是出于基本人道和血浓于水，我都不想捐钱。老是看到汶川灾后修建豪华的政府建筑，还有添置单位用豪车，在建学校的质量，却不见跟踪报道。

摧毁信任只要几年十几年，而建立起这个信任需要上千年的时间。

与所有信任缺失的人共勉。

3 月 22 日

今天 18 楼老先生开刀，他的女儿在手术室外等候。二师兄进手术室前打发她去外面逛逛，做个按摩什么的，放松一下，小手术，让她不要担心。小姑娘真的比较水灵，眼泪汪汪的，美人胚。

脑颅打开以后，导师突然说："哎呀！太不寻常了，太不寻常了，快去，找一台摄像机来，我要录下来。"

手术很顺利，缝合的时候，二师兄已将手术结果告知他的小芹。

据说二师兄走出手术间的一刹那，小姑娘就蹦到他的身上。估计离成不远了。

二师兄的消费水平最近估计直线上升，连普通门诊一个抽头两毛这样的活儿都抢着干了。我们笑称最近病患最好都绕着他走，否则真的成破财消灾了。

大师兄这两天比较闷，带着我们组都比较闷，大家都不开玩笑了。我们也不知道该怎么安慰他。他太太这两天又去普陀山拜佛了。每次去都是从山脚下一路磕头到山顶，回来的时候脑门前面一片红紫。看到她，我们都很难受。他太太是我们这里的麻醉师，大家在手术室里经常照面。

最初的时候他太太一年去一次，后来一个季度一次，现在每月都去一次。随着频率的增加，我们都知道她女儿情况不好了，也许时日无多。今年要是再找不到肾，到明年可能想移植都移植不了了。

心情不好，不写了。

LAOYOUKE：大医院，医生离婚率很高的。工作忙，和另一半交流少，生活枯燥。

关于医生和护士配，还有一种是半路配到一起的。好几对我知道的医生夫妻离婚了，原因都是医生丈夫被护士抢走了。按说他们几对都是医学院同学，同窗，恋爱，工作，结婚，感情基础还是有的，可终究还是敌不过护士的温柔攻势。你想，两人一起值夜班，要是没事的话随便聊一聊感情就拉近了，如果有时忙得很呢，护士一般都很温柔体贴，会照顾人，不时地给端个茶，倒个水，再给来个 MASSAGE 之类的，一来二去感情就加深了。

再加上护士会以崇拜的眼神看医生，满足了医生丈夫的虚荣心，而医生老婆呢？骄傲得很，我跟你平起平坐，你有什么值得崇拜的？我也很累，凭什么我要来伺候你？丈夫心理的天平自然就倾向了护士那方，加上医生妻子不肯让步，最终的结局都是分手，然后医生丈夫和护士配到了一起。

六六：老游客同学不要以偏概全，将普世的痛苦浓缩到个案上。

要变心终归要变心，与你是不是医生和护士完全没有关系。我现在已经认识到一点，婚姻走到一个节点上它就是过不去。过去了就一帆风顺，过不去就心梗了。

医生和护士搭配的婚姻离婚的更多。因为小医生年轻的时候没有选择，没有时间，只好跟护士。可随年资和声望的增长，到了中年，医生地位显赫，求你的人多了，护士没什么提高，很快医生就觉得没有交流的余地，距离拉开了，也是要离的。

离婚，总是有理由的。与跟什么人结婚无关。

3 月 25 日

小蕾前天被打了。鼻青脸肿。我赶到的时候,闹事的人已被110带走。我真想杀了那帮混蛋!

还是上次脑出血的病人,为一万块,隔三岔五过来闹事。前天过来的时候是晚班,带着家伙来的,一大帮人,医生躲在房间里不出来,他们就冲到护士值班台去把小蕾揍了一顿。

小蕾眼角缝了三针,嘴巴肿得像桃子,腿上软组织挫伤,惊魂未定。我陪她去派出所录的口供。

无论我怎么哄,她都拒绝开口说话,也不愿意回家,她可能不想她父母看见她这个样子。

科里的人要来看她,她拒绝了,一个人躲在我的房间里不吃不喝不哭不说话。我很难受,不知道怎么帮她。

昨天接上级卫生局的通知,要求我们以大局为重,强调和谐,把病患的钱退还给他,这件事就算过去了。否则每天来闹,就为一万块,外人看着难看,我们又不能跟他们日日纠缠。

开科会的时候,大家都很不高兴。第一不同意赔款,要求患者自己去打官司，我们奉陪，第二要告他们故意伤害。要是每个人对治疗稍有不满，都带人过来打砸抢，那我们医生的人身安全怎么保证？什么是和谐，和谐不能以牺牲我们的安全为代价。他们农民的命是命，我们的命不是命吗？如果每次都以我们的退让告终，以后医院就是一个没有公信力的地方了，每个人都可以随意质疑我们的诊断。我们的每一步诊断，无论再怎么清晰，再怎么备至，都不能保护我们自己，那这个职业，不做也罢！

这一段时间，坐诊的医生都没有好气。凡是来看病的，都全面检查一遍，任何一个疏漏都不放过，免得日后起纷争。

人和人就是这样对立起来的。我们也知道90%以上的患者都是善良的通情达理的，但我们判断不出谁是会制造事端的10%，为保护自己，防患于未然，所有的人统统被假定为闹事患者。你拿来的二级医院的片子，我们不承认，你昨天刚量的指标，今天要重新做过，我们只认我们医院的设备测出来的结果。

我如果好心替你省钱，凭直觉判断，而少做一样检查，万一不巧恰恰就是省下的那部分出了麻烦，责任肯定是我的。我不想再担负任何责任了，我应该担负的和我不应该担负的。

我所有的悲悯之心，就这样被毁掉。

今天听王教授在手术台上说："他自己要求保守治疗，我就给他保守治疗。"

"那个病怎能保守治疗？！开一刀就解决的事，这样拖下去会死人的！"

"他病死了，那是他自己的事。万一我要求他开刀开出问题了，那就是我自己的事。现在我对病人的态度就是，你是上帝，你是老板，你是消费者，你告诉我，你想怎样？你要开刀？好，我给你开，但请你自己负起全部责任。你不要开刀？好，那就不开，你也不要到我们医院来治，免得说被我治死的。我绝对不会给他任何一点我专业方面的建议。我多的任何一句嘴，以后都有可能是我挨打的理由。"

怨恨就是这样积累起来的。

一颗老鼠屎，坏了一锅粥。

任何行业，都是良莠不齐，但肯定是良多莠少。如果这世界良少莠多，那么早就乱套了。

可就是那几个莠，将所有的良都贴上被怀疑的标签。

好心没有好报。所以，我们就不用好心了。

科里今天去赔钱，一万块，带着伤痛和耻辱。

领导也不问小蕾，任她歇着。副主任让我劝劝小蕾，让她息事宁人，不要告了，撤诉吧！大家都知道她是受害者，承担了委屈，可这就是现实。

我回去以后感到很难跟小蕾张口。

我的心很冷很冷，我要重新考虑一下我当初选择这个职业的原因。

网友：看到小蕾被打，很有感触。将近十年前，老公从日本留学回国，分到神经内科，虽不是手术科室，可死亡率也是很高的。到科里报到的第一天，护士长先不介绍病房怎么样，而是先介绍医生值班室的窗户和后门怎么开，说是预防值班时被患者家属打。护士长还亲自表演怎样逃生，那认真劲儿，把老公给逗乐了。回家还跟我开玩笑说，哪天你接到电话说我被打了，要去病房探视啊。

可自从他独立值班的第一天起，他就体会到这不是玩笑，是事实。自此，每次他值夜班我都会担心。还好，只坚持了一年，就又背井离乡了。

说到再次出国，跟他的一次同学聚会有一点点关系。

刚留学回国不久，从医生办公室出来，一位打扮入时的女士很有礼貌地跟他打招呼，×老师你好！（不知听谁说的是刚出国留学回来的博士）我是××××的药商代理，如果你开××××药，一盒可以提×××元。老公没好气地跟她说，如果你们的药有效，不给提成我也会开的，药不好，给多少我都不会开的。

同学聚会的时候，老公跟他的同学讨论这件事，一位从前要好的哥们儿说，老兄，我看你还是再出国吧，这里已经不适合你了。

没过几个月，就喝告别酒了，他确实已经不适合这个社会了，他是适应能力比较差的那种人。

3 月 26 日

今天小蕾辞职了。这是我早已预料到的情况。

我没预料到的情况是，她跟我分手。

我想，她的决定是对的。对于一个没有能力保护她的男人，对于一个除了忙碌，什么都不能给予她的男人，对于一个在她被打之后没有勇气拎着榔头帮她复仇的男人，对于一个在她受了委屈之后向她转达领导意见，不要告伤害她的人的男人，是不配做她男朋友的。

小蕾走好。

你已经不是那个曾经让你爱不够的白衣天使了，你可以做你认为正确的事。在这个职业内，我们束缚了你的手脚，现在你已经自由了，我支持你告到底。

小蕾把她所有的东西都搬走了，在我回来以后，就剩下一间空空荡荡的屋子。这间屋子对我而言，太大了。

我送给她的 HELLO KITTY 她留在这里，这是我们的爱情能够留下的惟一纪念。

我不想当医生了。

可我能做什么呢？在经过四年医学本科、五年硕博、两年住院医生之后，我能做什么呢？

3 月 29 日

今天早上大师兄率领我们查房，看到一个女患者住在加床上，过道被塞得行走困难。

我们科的人最大的特点就是瘦。因为稍微胖点的，挤不进加满床的走廊。我们笑称这是自然选择；胖医生都被选择掉了。

大师兄看完她片子后问："你有什么不好？"

"我没什么不好。"

"那你住进来干吗？"

"我脑子里长了个瘤，我要开掉。"

"你不需要开刀。这个瘤子是良性的，而且几乎不发展，也许到你死都不会影响你。你是怎么发现的？"

"我面神经疼，一查，偶然发现的。"

"你不需要开刀。我看看你主治大夫是谁，我去跟他商量一下。"

"主治是霍大夫。"

大师兄一言不发地走了。

过一阵子，大师兄看到二师兄，问他："你最近春风得意爱情顺利嘛！"

　　"是的是的。"

　　"刚从香港回来？听说住的是高档的半岛酒店啊！"

　　"风景真的很美！窗户就面对维多利亚湾喏！晚上有幻影香江灯光表演，虽然钞票贵点。"

　　"一趟花费肯定不小。"

　　"难得的啦！小芹第一次跟我出去，总要撑点门面。"

　　"这个门面你打算撑多久？"

　　"什么意思？"

　　"老二，我不赞成你跟这个小芹来往。人要和自己相当阶层的人交往才不会觉得压迫。你知道你最近看了多少病人吗？你开了多少药？"

　　"你什么意思？"

　　"我的意思你明白。开药这些都是小意思，但你非让病人开不必要的刀，就有点过了。我早上查房，看到那个加床了。我跟她说让她回去，不要开刀了。我希望你以后注意，类似的事不要再犯了。"

　　"什么？！你让她回去了？！我去看看！"二师兄夺门而去。

　　大师兄面色不快。

　　两个星期前，我也会鄙视二师兄。现在，我觉得，人为财死，鸟为食亡，在这个金钱挂帅、所有的衡量标准都以金钱的拥有量为标准的社会里，二师兄无可厚非。现在这个社会，干什么不需要钱啊？小孩上学，你得花钱，吃穿用度你得花钱，看病养老你得花钱，泡妞晋升你也得花钱。你所有的一切都是金钱买来的。钱现在又特别不经花，上个礼拜三文鱼还二百五十块一公斤，这个礼拜就涨到二百六十五。菜场上随便一种蔬菜，都是五块以上起价，我同学的 MSN 都改成"豆"你玩，"蒜"你狠。

蔬菜也吃不起，肉也吃不起，不拿红包回扣，难道要我们去做普度众生的圣贤吗？

一个人的成功标准，不是你发表了多少文章，你做了多少台手术，你的道德品质有多高尚，而是你的财富拥有量。你的权力地位社会关系，一切的一切，都需要金钱来维持，医生也是人，医生难道不要生存吗？

不就开一刀吗？又不是脑子里没瘤。可开可不开，那就开吧！没啥坏处。

这个社会哪个阶层都在乱搞，小商小贩缺斤少两，无良奶商添加三聚氰胺，政府官员挪用社保，煤矿老板挖黑煤，建筑商偷工减料大桥垮塌，连小学生都有人代写作业，在利益至上丧尽天良的环境里，干吗以崇高的标准要求我们医生，这社会又何必在乎多一刀呢？

不一会儿，老二奔过来，眉开眼笑地说："幸好病人没走。你以后不要捣乱。"

大师兄怒了："霍思邈，记住你父母给你取的名字！治病救人是你的祖德！你什么时候变得连职业道德都不讲了？"

二师兄先是震惊再是悲伤："老大，我跟你这么多年，我不就谈了个女演员吗？你何至于嫉妒成这样？我谈个恋爱就这么刺激你吗？你都开始怀疑我人品了？你是不是觉得，我最近这段时间看普通门诊是为了多捞病源？你是不是觉得我开刀是为了赚取提成？老大，我告诉你，你看错我了！你看低我了！"

"你不是？！那你说你是为了什么？"

"你了解这个病患吗？你知道情况吗？你就来横插一杠！这个女病人，十一年前患乳腺癌切掉了左侧乳腺；五年前生肺癌切除了右肺；三年前因结肠癌切除了右半结肠；一年前则因为肝转移而切掉肝左叶。她看到我的时候跟我说，我已经把一半的器官和毕生的积蓄都献给了你们医院。我劝她没必要开刀，你知道她说什么？我一定要开！我之所以到现在还活着，就是因为所有的毛病我都掐死在萌芽中。你现在跟我说这个瘤子是良性的，你能保证它一辈子不变异吗？你能保证它不再长大吗？我今年才六十五岁，我趁身体还行，赶紧开掉它。不然脑子里长个东西，我吃也吃不下，睡也睡不好。我的生活会因为脑子里这个瘤而影响质量！

"我刚开始和你的想法一样，想说服她不要开刀。可我回去以后设身处地想一想，如果我是这个病人，我在十一年里从没有一天是舒坦地活着的，每天都战战兢兢寝食难安，我什么感受？师兄，我想你一定记得教授的话：医生有三重境界。第一重叫治病救人，你能够看好病人的疾病。这只能说明你是一个医务工作者，一个技工，和修鞋匠、卖馒头发糕的师傅没任何区别。微笑服务那是小 CASE，是你作为人应该做的，根本不应该提到评比的标准里去。第二重叫人文关怀，你不仅看好病人的病，你还有悲天悯人之心，对待病人要像亲人一样，我知道你就在这条路上行走。但我希望自己能够做到第三重，那就是进入病人的灵魂，成为他们的精神支柱！这个刀，如果从医学价值上说，完全不用开，可从灵魂慰藉上说，我觉得必须得开！你开过了，她就踏实了，她就有信心能够再活十年二十年。你开完以后，以医生的权威告诉她：你现在已经平安无事了，你再活两个甲子都没问题，她就没有思想负担了。这个瘤，不是肉体疾病，是思想负担，你懂不懂？大师兄，人不仅仅是为了活着而活着，人活着还要有质量，你让她每天活在死亡的阴影之下，还是让她活在阳光里？"

大师兄目瞪口呆。

过了良久，大师兄说："对不起。我错怪你了。不过，我依旧觉得，她没必要开这一刀。而且，说实话，她都给切成这样了，我也怀疑她到底能不能像你说的那样能活十年二十年的。也许明年她就不行了。她最主要的问题，不是这个瘤。

二师兄不答话，却突然来一句："南南这两天怎么样了？"

"不好。"

"她那么受罪，你还打算给她治吗？放弃算了。"

"你胡说什么？！也许明天她就等到肾了！"

二师兄拍拍大师兄的肩膀说："这就是希望。人活着，得有希望。你希望她会永生，这是你努力并且快乐的原因。这个病人，我觉得她体质不错，开这么多刀，都挺过来了，奇迹，永远会发生，但首先是你不要放弃希望。对不起，我也相信，明天南南就会等到肾。"

二师兄走出去。

那一刻，我觉得他很像小马哥。只不过，小马哥是黑风衣，他穿着白大褂。

RENEE：不要说给不给红包都一样。

我生宝宝的时候，就是来不及，老公一直在上班，我都要上推车了才赶过来签字，来不及给麻醉师红包，结果麻药打得不好，医生又不想等，就用的皮麻。打开肚子时，麻药的劲儿就过去了。

有谁的孩子是剖腹产，还用产钳夹出来的吗？有谁剖腹产缝十八针的吗？

3 月 30 日

早上大师兄查房的时候特地到 39 号 A 加床去，他重新又看了看片子，再看了看病人身上横七竖八的刀疤，仔细研究了一下说："对不起，我昨天的判断是错的。我和霍大夫讨论过了，我倾向于他的判断。你做好动手术的准备吧！后天早上，第一台。我替你查过黄历了，良辰吉日吉时。"

病人兴高采烈。

这个职业于我，简直像冰火两重天，我时而为之感动振奋心潮澎湃，时而情绪低落怀疑人生愤世嫉俗。我的心灵在接受各种考验和磨练，我不知道它是否已经伤痕累累，布满刀疤，抑或是柔软如初生蛋。我只有在敞开的那一刻才知道质地是什么。

累了，睡觉。

3 月 31 日

你相信生命面前人人平等吗?

你是高官也好,是乞丐也罢,是名人亦可,是凡夫也行,生病的时候一样虚弱,受伤的时候一样脆弱,能生的生,该去的去,全凭运气。

这是我在二十岁以前对生命的理解。哪怕你家财万贯,哪怕你王公侯爵,你总逃不过个病。《三国》里张飞天不怕地不怕,诸葛亮只在手心写个病字,他就怕得不行。

我父亲得病的时候,医生跟他说,能用的药都给你用了,国务院副总理跟你得的是一个病,你俩用药没什么不同。

而今天,我很怀疑这个观点。人的生命在疾病面前,分三六九等,有的病,你有钱,不治变可治,有的病,你没钱,可治变不治。艾滋病在二十年前是不治之症,没钱的就故去了,有钱如约翰逊之流,到今天已经得病二十多年了,靠新特药维持,到现在还活着。他要是钱足够多的话,搞不好能等到艾滋被攻克的那一天。

今天急诊室里来了一个恐怖的病人。他进来的时候着实把护士吓得不轻。他的脑子里横贯一根钢丝,从左太阳穴穿到右太阳穴,高烧不退。

我问了他的情况，他已经是骨癌晚期，锯掉了一条腿，肿瘤已经转移到淋巴里，医生判断他的生命期限，理论上也就几个月了。

　　他说他家在云南山区，很穷，看不起病，从医院里自己出来了，疼得不行，不想活了，拆下自行车轮圈里的钢丝自己砸进去的。谁知道砸进去几天了人也不死，这两天又动摇了，不想死了，请我们帮他拿出来。

　　科室就他的病例开了个特别会，反复讨论拿出钢丝的可行性。很危险，这根钢丝贯穿不少大血管，拿得不好就死在手术台上。反正他理论上也就几个月的命了，不如就这样放着吧！况且他一个人在这里，连签字的家属都没有，没法给他开刀。

　　可这家伙整天吊着戳着钢丝的脑袋在急诊中心晃也不是事儿。

　　吊了水退了烧之后，我又跟他谈了谈。

　　他的一番话让我感到胃酸上涌。他说，他这一辈子，刚三十岁，就差不多到头了，从十几岁辍学种地打工开始，到娶了媳妇生了两个娃娃，日子好不容易有点盼头，命没了。他不知道他的小孩和女人以后该怎么生活。他想死，就是怕给他们增加负担，家里已经没钱了，不值得为他这个废人再背债，可他多么希望自己能活着，看着小孩长大。

　　他带着仅有的钱，来到这个大城市，刚下火车就满是羡慕。这里的房子多高啊，这里的人多有钱啊，这里的车多漂亮啊！大家都是人，为什么他连瞧病的钱都没有，而很多人要啥有啥。

　　末了，他说，"我要报复。我要报复这个社会！反正我烂命一条，没什么钱了，我真想找一捆炸药，放在地铁上，大家都死！你再有钱，你再牛气，你到死，总跟我一样了吧？"

　　我不寒而栗。

　　这医院，有多少人是这样地绝望？有多少人在底层困苦挣扎？

这一幢大楼里，10层以下的人，六个人甚至八个人一间病房，而楼外有一大群需要治病却排不上队的人在等待。

10层以上的人，住豪华单间，探望的人络绎不绝，礼品成山成海。

近日科里收了个VIP病人，光看看急诊手术医生的场面就可见一斑！车祸伤，患者因为酒后驾车自己撞上了大卡车的屁股，面部骨头能碎的都碎了，脑损伤。很及时，家属一个电话过来，我们医院相关科室的各位龙头老大等在门口会诊，骨科主任来了，耳鼻喉科主任上台了，整形外科主任亲自操刀了，阵容强大，科里的副教授也只有在一旁剪线的份。这一切只因为伤者的父亲是市委领导，动一动都地震山摇。

手术很顺利，但是护士长很头疼，每天络绎不绝的探视者排山倒海一般涌来，小小病房常常有十几、二十多个人围得水泄不通，空气污浊。院内感染怎么控制？都要多留陪人怎么拒绝？没办法，人家是VIP，你去说吧，病人妈妈正哭得死去活来，任何一句不恰当的话都有可能遭来老拳；你不说吧，病房走廊探出许多脑袋看着咱们，这一层楼热闹得都像七浦路了。我硬着头皮去提意见，陪人太多影响病人休息不说，还加大了病人感染的可能，毕竟家属朋友们不可能都消毒后再探视吧？

大家还算比较配合，但是惊人又哭笑不得的一幕出现了。探视的人很自觉地排成两队，手里提着慰问品，不慌不忙地聊着，等着，一个一个进病房，轻手轻脚地进去，蹑手蹑脚地出来。等在外面的目光中充满羡慕，里面出来的抬手昂头间满是得意。这样你也不好说什么了，人家病房里面的陪人数的确是按照规定执行的。

我很想让这位市委领导来听听这个脑插钢丝的农民的话。如果这个社会，两头的人差距越来越大，他以为他可以永远享受太平吗？如果脑插钢丝的人多了，谁不是生活在惶恐不安之中？谁知道自己会不会今天有明天无？

　　我在例会的时候，把脑插钢丝的话原话复述。主任沉寂良久说："社会变了。一切都变了。你们这些新来的医生可能都没有学过一篇文章，叫《为了六十一个阶级弟兄》，那里面有一句话我到现在都记得：在我们的社会主义大家庭里，亿万劳动人民是一个亲密无间的整体。一根红线贯穿，颗颗红心相连，大家同呼吸，共甘苦……

　　"我父亲的那个年代，他是一名工人，他生病的时候，工会派人来轮流照顾，邻居同事亲朋好友都来帮忙，家里生活困难了，组织帮助，周围的人接济。那时候的日子，和今天比起来，那是太苦了。我们没有电视，没有娱乐，没有高消费，没有豪宅别墅，可我们的精神世界是丰富的，我们并没有体会到艰苦，我们的心很平和很踏实，我们知道有任何困难，我们都不会掉队，任何时候我们都有依靠。

　　"而现在呢？我们在医院这个环境里，看过多少人因为生病被企业辞退，因为生病而夫妻离异，因为生病而丧失活下去的信心。

　　"这个社会没有魂了。

　　"魂这个东西，对人是多么的重要啊！在西方社会，一个人一旦被判定癌症，最先出现在你面前的人是神父，是教友，是你的灵魂安慰者，而不是医生、家属。我们这里，没有宗教，没有因果报应，没有敬畏的东西，再没有精神的支柱，这对一个濒临死亡的人来说，是多么的可怕！

　　"我有个想法。我首先承认，我从理智的角度对待这个患者，认为他只有几个月的残存生命，不值得浪费钱财和精力甚至担风险给他做手术，这是错误的。我道歉。即使是一个被科学判断为没有医疗价值的人，挽救不回生命的人，他依旧是人，他是我们社会的组成部分。如果每个人都以功利效用的眼光去看待病人，能治好的，能为社会继续做贡献的

81

就救，没用的就拉出去喂狗，我想唇亡齿寒，有个形容词我忘记了，也是说让活着的人寒心的，大家帮我想一下，那些活着的人都会想，如果有一天，我到这步田地怎么办？医院，它不应该是一个企业，它不应该是一个营利机构，虽然现实让我们的地位很尴尬，从业者很无奈，但我始终坚信，迟早有一天，它会变成社会福利的一部分，它会变成人文关怀的一部分。我看，这个病人，我们应该收治。宋教授，麻烦你等下跟医务处的陈处长汇报一下，这个病人，我们收治了，但还是希望医务处能够派人到云南去，把他的家属们接来。毕竟，这是个大手术，我们必须要有他家属的签字。万一有什么，最少他的身边还有人，他的亲人在身边。你说呢？"

宋教授说："这个病人，是一个非常极端的病例，他是社会中比较少数的一部分，我们如果处理不好，明天在报纸上看到某某公车爆炸案，我想在座的每一位都会心里不安的。这个病人的手术花费不会小，这部分就算医院承担了，可他术后的护理，再加上他的家属过来的花销，可能是不小的一笔数字，我们科要不要搞个捐款活动，支援一下？"

大家已经在默默掏口袋。

"另外，他的病，估计当初诊断也是在当地的小医院。我们不能以他的口述为主，既然都到我们这里了，我们还是会同骨科再会诊一下，看是否真的如此严重。"另一个小组组长的建议也通过了。

晚上回家，我在网上查到了那篇《为了六十一个阶级兄弟》的文章。我以前一直很反感这种高大全的宣传，这种歌功颂德的文章不知道对我们有什么现实意义。

可今天读起来，心头别样滋味，尤其是这一句：人人心里都燃着一团烈火，这团烈火越烧越旺；对党和毛主席的深沉热爱，化做无穷无尽的力量，人们正在用它加速建设我们伟大的社会主义祖国！干劲冲天地、高速度地建设她吧，这是咱们的靠山，这是咱们永远幸福的保证！

如果人人心里都燃烧着一团火，人人都有幸福的权利和保证，人人心中都有靠山，那么这的确是一种力量，让你愿意为之奉献。

而反过来，如果人人心里都有一团冰，人人都担心未来的幸福，人人内心都失去方向，那么，人人都只会为自己考虑，人人都短视，只注意眼前一寸的好处，人人都放纵心中的贪欲。

因为你不相信未来，你不相信世界，你不相信人间有爱，你没有明天。

4月2日

今天，医务处的陈处长找到我，跟我说医院要派人去接脑插钢丝男的家属，他需要跟病人谈谈。

我说，迟了，不用谈了。昨天晚上他自己偷偷摸摸走掉了。也许是害怕付不起医疗费，也许是觉得没什么希望了。

陈处长大惊："这样的人在大街上走，不要吓死人的啊？！万一他真有什么想不开，出了事怎么办？你去跟110联系一下，看看有谁在街上看到他，赶紧送回来！"

我报警了。

我在等待消息。

也许，明天早上，黄浦江里会飘起一具浮尸。也许，明天的报纸上会有爆炸性新闻。也许，我的名字也出现在那个新闻里，我也许就碰巧在那趟列车上。也许，什么都不会发生。

更也许，今天晚上，他就回来了。我不再会以俯视的眼光打量他，我愿意拥抱一下他，这本该是我第一次见到他的时候就做的。

上天保佑他一切都好，否则我终生都会受到心灵的煎熬。

4月5日

不是不报，时候未到。

我终于相信报应这句话了。以前以为报应是来世的事，我既然没有宗教信仰，又不信鬼神，我就无所谓修不修来生了。今生能过得不错就很好了。

同志们哪，今生也得今生修。

早上二师兄一台手术，他又在和美小护开黄腔。不过最近一直是美小护在戳他。他拿着双极和剪刀，吸血器拿不住，跟美小护说："快，帮我吸一下。"美小护顺口就来一句："上面还是下面。"二师兄坏笑着说："上下都要。"美小护一边帮忙一边说："这世界就是不公平，鲜花和晚饭归你的女演员，而脏活累活都归我。"二师兄问："你不爽？实质都在你这。"美小护说："爽得不行了。"

我都听不下去了。

全麻就是好啊！多大的手术都不误打情骂俏，不似我同学做的是眼科，每天都忙着跟患者斗智斗勇。他们是局部麻醉的，患者还看得见，老师带学生的时候，都要做障眼法、移形换位大法和屏气法，还要学演员的眼神交流，眉目传情。他们开刀是大气都不敢出的，怕给病患闻出味道，知道开刀的不是老大夫。据说有个病人在手术结束后对主任说："主任啊，我非常感谢你。虽然我知道不是你开的刀，但感谢你在旁边的指导。我看见你使眼色了。"主任哭笑不得。

我们这里就是自由世界。

下了手术台准备下午的科会，正好看到急救中心一片喧闹，我和二师兄奔去看看。

冤家路窄。

上次那个赔款一万，打了小蕾的病患家属一帮人在门口跟护士说啥，小护士正手忙脚乱地接过救护车送来的病患。

二师兄走过去一看，就问："谁让你们收的？"

小护士是新人，不明就里。

"退回去，不要往我们这里搬。你以前在哪开的刀还回哪去。"

病患家属泪流满面地求："大夫，就是那个医院跟我们说他们没办法，得送你们这里。"

二师兄眉毛一上挑，表情极其嚣张得意："我们也不行啊！我们是骗钱的呀！我们没有医德的呀！我们水平不好，这不是你们说的吗？你们找高明大夫去吧。"

转身跟小护士说："你胆子也太大了！这样的你都敢收？没被打过是吧？没多久前，他们刚打跑一个你这样的，破相了。你要是收了，你负责救啊！"

小护士吓得赶紧松手说，我不认识他的呀！跟我没关系！

家属一听，就跪下了，抱着二师兄的脚不撒手，哭得昏天黑地。

可怜人必有可恨之处。

我内心的快意，没法用语言表达。我可以一点不羞愧地感受到，这一刻，我的确一点都没有同情心，只感到现世报这种事情还是有的。而且我可以判断，他这是二次出血，应该是上次的血块没有拿清。

　　二师兄冲保安说："快快！这帮人，得赶紧弄走。留这里等下死门口还不知道要赔多少呢！"保安开始劝人离去。家属抱着二师兄的脚不撒手。

　　二师兄拔出被拖住的脚，用手掸掸裤腿，走了。

　　旁边看病的人群情激愤，有人拿手机拍下这个场景说要明天见报，医生见死不救。还有人追上去问二师兄："你叫什么名字？我们要投诉你！你太不像话了！一点人性都没有！"

　　二师兄礼貌一笑，翻过牌子给病患说："我叫霍思邈，欢迎投诉。我的医生编号是1082。"

　　我追上二师兄说："这样会不会太危险？"

　　"天叫他亡也，不是我叫他亡也。天下最不能得罪的人之一就是大夫。大夫能杀你也能救你。"

　　"投诉你怎么办？"

　　"不就扣奖金吗？那几个钱，不要就不要呗。我多开几盒药，多做几台手术就回来了。羊毛最终还不是出在羊身上？"二师兄回身环顾四周说："你以为，这里的一草一木，大楼设备，那么多的后勤，都是自力更生长出来的？哪个不是我们医生护士挣出来的，哪个不是从病患头上挤出来的？切！"

　　科会的时候，大师兄迟到了。进门就说："对不起，我刚才，接了个病人，我想，你们所有人都要怪我了。我也不想接的，可他们抱着我的腿不起来，磕头磕破了，我就……"

我立刻联想到大师兄的太太，头顶那片炫目的紫色。我相信，大师兄的不忍也来自家属的磕头。

　　二师兄立刻站起来说："农夫和蛇的故事你听说过吧？你不怕他到时候反咬你一口？这个人和他的家属什么德性你没看过啊？他们现在这是求到你，用不到你的时候马上翻脸，我告诉你，下一个打的就是你！刚打完左脸，你右脸就伸过去。"

　　大师兄一副夹心饼干的痛苦状，求援地看着主任。

　　全场静默。

　　主任思忖良久说："他现在什么状况？""脑溢血，量比较大，出血部位比较深。现在的片子还是两个小时前在另一家医院做的。"

　　"再做一张吧，准备手术。"

　　没一个人站起来，除了大师兄本来就站着的。

　　老主任叹口气说："这个世界，原本就不是平等相对的。投桃报李，滴水之恩涌泉报，礼尚往来，这些故事，如果是司空见惯的，就不用几千年来提出来歌颂了。很多时候，你的付出就是没有回报的。医院尤其是这样一个地方。患者到我们这里来，就是解决问题的，你解决了他的问题，这是你作为医生应该做的，你解决不了他的问题，虽然不至于挨打，但人家质疑你也是无可厚非。我们和患者之间占有一个信息不对等的优势，有时候也是劣势。你的判断哪怕是正确的，可他病痛没有解除，他就是不认同你是个好医生。

　　"有的乡下人，有时候你觉得可憎，因为他们无知，他们愚昧。可你们想过没有，他们对这个世界的认识是直来直去的。你治好他们的病，他们感谢你，你治不好，还收他们的钱，他们不理解，自然要来闹事。一万块，对我们城里人来说，不是个大数目，但对很多穷乡僻壤来说，得干多长时间才赚得出？他们过激，是因为他们心疼。他们不懂礼数，是因为我们不够温和体贴。我们这里坐的每个人，你们自己想想，你们和患者说话的时候是平等对待，还是居高临下。你心平气和地解释给他们听，还是表现出不耐烦？你的态度，就是人家对待你的镜子。

"也许你们觉得我不帮你们说话。其实不是的。我是想，冷漠是一种传染病。别人对你冷漠了，你心情不好，就把这种冷漠传播出去，这个社会就越来越冷，越来越冷，没有一个人能感受到温暖，每个人都在抱怨。其实相反的，温暖这个东西，也是传染病，你对一个人好一点，别人也会对你好一点，也许会传染给下一个人，这样的人多了，社会也就温暖起来了。我们是做冷漠的传播者，还是做温暖的一个起点？"

医生拿来刚才照的 CT 片子给主任看。

"我这里有个故事，但我现在不跟你们说，没有时间。这个人，还是要救的。这个手术，我做。但我现在年纪大了，需要两个帮手。"

两个教授组长站起来说，我帮您吧！

主任看了一下说："我自己点吧！我希望霍思邈和郑艾平做我的助手。"老主任看着我和二师兄。

我俩无话可说地站起来，跟他走。

官大一级压死人。在他脚下混，不得不低头。

一声叹息。

网友：想想美国，为什么医患矛盾极少呢？ 第一当然是因为医护人员态度好，给你充足的时间让你问所有想问的问题。医院也经常寄有关医疗常识的文章给你，普及老百姓的医学常识。第二，因为医疗保险制度。你去看病支付很少一部分钱，其他由保险公司支付，这样患者就不会有太大压力。而保险公司有专业人士把关，对医生用什么药会审查，所以医院和医生都不会乱来。

六六：我个人在国外生活，我的感受是，国外的医生有绝对的权威，他的话是不容你质疑的，你只能谦卑地去询问。他面对的病人少，也会耐心答你。中国这边，病人比医生专业，医生很多时候听病人的。病人要开什么药，他们就开什么药。

找找感觉：我母亲心脏不好，带她去看熟悉的医生——一个上海前三名医院的心内科主任，老年病也没什么根本的办法，主任根据母亲长期用药不能控制症状的口述，给她换了种药。

母亲一听药名，马上说：不对，以前给俺看病的医生从来没给我开过这种药！主任说：您不是说用了很久药都不见效么，所以给您换种药。

母亲：我一直在那个医生那里看的，他没让我换药！主任无奈地看我一眼，我赶紧给母亲使眼色。好言相劝，母亲总算去拿药了，结果拿到药，母亲二话不说又跑回主任办公室：大夫，你开的药我不能吃！有太多副作用！主任愕然：我给您开的药应该是副作用比较小的。母亲：你看，说明书上都写着呢！主任：哦，说明书都会这么写，您不用管它。母亲：那不能这么说，既然说明书写了，那就一定有问题！主任又无奈地看我一眼：看来识字也不好！

六六：找找你说的笑死我了，你娘和我娘有一拼。我娘开完刀说头疼，怪医生赵耀没开好。赵耀让她量血压，一看是血压高。赵耀问她，我开的降压药你按时吃了吗？我妈说，我一颗都没吃。赵耀说，你不吃，血压上去了当然会头疼。我妈说，我不能吃，你给我的是砒霜，说明书上说，这个药进入肾脏连洗肾都洗不掉的。

　　赵耀无可奈何地说，那所有的药都这样写的，孕妇和肾功能不全者慎用。阿姨你吃没事的，听我的。

　　我娘将信将疑地吃的，边吃边跟我说，你跟赵耀讲，我有事情就找他。

　　赵耀答：我二十四小时不关机，你有问题随时打我电话。

　　我当时觉得，当医生，根本就是卖给这个职业了。我娘这样的病人要是多几个，医生们基本都会过劳衰……那个字，我避讳，就不讲了。

　　网友：不知道我的这个例子对六六有没有用：我的家庭医生，女的，是个香港人，虽然态度专业，但还是能让人感觉出骨子里那股高傲，她的笑没有一点热气，尤其是对我们这些大陆来的移民。去年她查出患了癌，后来找她看诊，一下子姿态放下来了，亲和多了。人也是要经受痛苦才能去亲近别人的。

4月5日

老主任站起来前说："找个有经验的人跟家属谈话，我想其实不用谈很深他们也知道救人的难度很大。"

我和二师兄默默切开患者头皮不说话。

老主任消完毒走上手术台，他站一边看我们干活，边看边说："带情绪做手术和带情绪开车一样，都是不好的。其实带情绪做任何事情，都有偏颇，都容易失误。"

二师兄没好气地说："朱伯伯，你不要老给我上课，我从上你研究生起就听你讲人生大道理，讲到现在。你的境界都要成佛了，我不希望自己像你这样出世，我还是先入世再出世吧！我是人，不是神，我也不希望到死的时候别人给我竖一个牌坊每天给我烧香磕头。开刀就是我的工作而已，我既然是人，就有脾气，有想法，我可以给这个人开刀，但你让我心情愉悦地开，我做不到。你知不知道小郑的女朋友小蕾就是给这个家伙打走的？"

"我知道。这也是我叫小郑一起的原因。小郑，我相信你也不情愿对吧？"

我不敢说话。因为我没有爷爷以前是院长，也没有爸爸当卫生局局长，我要是敢这样跟主任讲话，我怕自己死得很惨。

　　"邋邋啊，我是看着你长大的。所有人都觉得，你上医科大学是因为家里有背景，祖上世代行医，爷爷以前又是这个院的院长，爸爸现在还是局长，我不收你不行。其实邋邋，大家都想错了，你上大学，选这个学校，最后走上这个专业，是我要来的。我在你上高中的时候就跟你爸爸说，以后让邋邋这孩子跟我吧！"

　　"哎呀朱伯伯，你害我一辈子！要不是你，搞不好我就不用做医生了。"

　　"呵呵，其实你妈妈也不希望你做医生。但你要相信你爸爸和我的眼光。一个你这样世家出来的孩子，一个世代悬壶济世的子孙，根基错不到哪里去。信不信由你，你骨头里是钻石，迟早有一天你会意识到，你这一生，除了医生，什么职业都不适合你。"

　　"朱伯伯，你说得太正确了。除了医生，我也知道什么职业都不适合我。我家一个房间里除了医学的书，没有任何其他书籍。我从小看的第一本书是《医学史话》。人家小孩知道的是肖邦、莫扎特、达·芬奇，我知道的就是黄帝、李时珍、张仲景。人家小孩从小玩飞碟、游戏机，我从小家里放的就是骷髅模型，我三岁就能把骨头一块一块拼回去。我认识的人，从小到大在那个院子里，不是医生就是护士，连工人都是医院食堂的师傅。我实在是想不出这个世界上谁比我更合适在医院呆着。我连选择自己命的能力都没有。为什么我爹不是导演啊，这样的话，我也不用现在一看到女演员就这样地仰慕，愿意献身了。"

　　主任笑了，说："听说你谈了个女演员？终于满足了你母亲的愿望，不找医生，不找护士，不找同学，不找同事。四不找，对吧？"

　　"本来她是这样坚持的。现在她知道以后，跟我说：'找女演员，还不如找女护士呢!'她又不同意了。"

"你家就你这么一个宝贝儿子,你找谁她都觉得配不上你。你喜欢就好,不用听她意见。"

"我不会听她的。我已经下定决心了,我觉得我这一生,已经注定只能找文科女生了。女演员算文科生对吧?我感觉我是功能性障碍,只能跟纯文科生才能合拍。我如果是插头,文科女生就是插座。如果来个理科女生,我认为那是两个插头的碰撞。我如果是螺母,文科女生就是螺帽,俩人一拧就上去。理科丫头就算是螺帽,拧着拧着也滑丝。我妈的四不找很对我胃口,因为医科算理科。"

我忍不住在旁边插一句:"你这不是功能性障碍,你这是性功能障碍。"一想今天是主任在旁边,吓得赶紧收口。

我们打开颅腔,等主任上台。

主任一边做手术一边说:"我刚才在会议上,说有个故事,想跟你们讲,没讲的。这个故事,就是你爷爷的故事。老院长,是中国解放后第一个做脑颅手术的人。当时的条件跟现在哪能比呀!所有的手术都是白手起家,自己琢磨,连工具都自己造。他看到一篇文献,说国外有脑绵这个东西,他很羡慕,这个东西长什么样?他没见过,也不知道,他就买了一口锅,用淀粉加其他一些材料自己熬,熬出了现在明胶的前身。我非常佩服那一代人的动手能力。没有枪没有炮,我们自己动手造。硬是琢磨出了中国的神经外科学。这样一个纯粹的知识分子,在'文革'时期也是被打成了反革命,揪出去批斗。那个时候,大家都不做手术了,白天劳动,晚上批斗学习,医学上的领导是不懂医的人。

"有一天晚上,你爷爷刚被红卫兵批斗完,坐飞机,两个胳膊举到放不下,翻转不过来了。有个革委会头头的母亲脑溢血,需要马上做手术,可找不到人了。能做手术的人都刚斗过。那个人就求到你爷爷。前两个小时，那个人还站在台上对你爷爷拳打脚踢，后两个小时就跪在你爷爷面前。结果，你爷爷一句话都没多说，就去做了。当时，条件那么简陋，环境那么差，万一这个人的妈妈要是死在手术台上，你爷爷第二天被斗死都是有可能的。可你爷爷，根本没有考虑个人的得失，毫不犹豫就去了。

"结果你是看到的。你爷爷活到九十多寿终正寝。那台手术之后，连他的敌人，那些斗他的人都保护他，而且相当多的一批元老，都因为他而暗中受到照顾和保护，他们等到了平反的一天，以后才有我们这个科的发展、壮大。

"我记得你爷爷跟我说的一段话，这段话，我今天再送给你们，希望你们，放在这里。"

他指了指心。

"医生和法官和警察一样，从穿上制服那天起，你就不代表你自己。你是拯救的化身。你不能以自己的好恶选择病人，你不能以个人的得失衡量生命。喜欢这种长相的人我就救，不喜欢的不救，对我有好处的我救，没好处的我不救，手术有把握的我救，没把握的我不救。如果每个医生都这样，白大褂就染黑了，你手里的手术刀就是生死判官笔了。你替人决定了生死，而这不是医生的职责。医生要训练出一种素养，一种本能，就是死的要往活里拉，活的要往好里拉。每救活一个人，都是对自己的挑战。等你见到每一个病患，都能把自己的情感抛在脑后，你就是好医生。医生这个职业，与技术关系小，与道德关系大。有技术没道德，永远不是合格医生。"

主任拿出最后一个血块，说："该做的我都做了，下面就看我们运气好坏了。"

二师兄笑着说："主任，我两边的课都上。你给我上道德课，病患家属给我上不道德课。我是怕，你今天这刀要是运气不好，过几天会被打。到时候技术、道德对医生都没用，我们需要的是刘翔的脚。那你肯定跑不过我。"

朱主任信心百倍地说："人心换人心，四两换半斤。大家这里都是肉长的，你对他好，他不会不通情理，99.99%的人都不会不懂感情。"

"主任你是至死不渝的理想主义者。"

"医生必须是理想主义者。往最好的方向努力，做最坏的打算。我先走了。"

我和二师兄苦笑。

红柳：我母亲眼睛开刀，眼药水不够了。问医生要，医生来一句：眼药水护士也不放过呀。开始没听明白，后来回过味：意思是医生早开够了眼药水，记到了我妈账上，但药水却没到我妈手里，被护士给匿下了。

我父亲住院，临出院的时候，问护士要医生开的药，护士说没有，去问医生，医生说开过了。拿到医院的清单，都是名贵药，回头找医生护士，谁都说没有见。可怜我老爸病老妈糊涂，医院里转悠半天也不知如何是好，只有空手回家。

好人也有。

二十年前我老妈手洗衣服，衣服里不知为何有根针，就扎进了老妈左手掌大拇指的骨头里，跑到医院的急诊，一个帅气的年轻医生，一边安慰一边细心地取出了骨头里的断针。

多少年过去了，一说起手掌的黑痣，她就说是手术的疤痕，连带着说那个年轻帅气的医生人好脾性好技术好。今天又说起他，说他已是那家医院的副院长。老妈说，看看，技术好人又好，我说他将来会出息，他不当院长谁当？

总觉得大部分的人民还是知好歹的，懂得感恩的，会记住别人的无私的好。

六六：医生也是大部分人民中的一部分。

4月7日

早上大师兄开个大客户，如果按新闻联播的说法，那是百年不遇的瘤霸霸。比瘤霸还大的瘤子，我们叫瘤霸霸。每个科室都很逗，都有自己的专业术语，普外的人称乳癌患者叫"少奶奶"，这种称呼避免了癌字，大家也能听懂。妇科说她们管的是"一室两厅"。

治疗方案商量了很久，从哪里开进去，怎样避免伤到海绵体。那个瘤子长得很像橄榄树或者西兰花，大如六七岁孩子的拳头。光跟家属谈话，都轮番去了三四次。这样大的手术，很难不留下后遗症，反复强调的原因就是希望家属不要存在侥幸心理，出了什么事承受不起。这也是我见过的比较有规模的瘤子。今天一天，组里就开这一台手术，搞不好一大早进去开出来到晚上。

手术室像闹市一般车水马龙，几乎科里的医生都下来看过。

开了颅腔等大师兄的当口，三组的小牛跑来说，今天比较痛苦，打算接你们这个手术室开个刀，教授就今天下午有时间。我赶紧劝他另聘他人，这台手术不晓得什么时候能结束。他跑出去一圈回来说，霉透了，每个手术间今天都客满，订了好几台，就这间只有一台，就你们了，不改了。

吃午饭的时候又看到小牛，他拍着我的肩膀说："我对你这样没有人性表示愤慨，知道我接你下一台，你还说手术如何漫长，现在不好好去开刀，跑过来吃午饭。"

我一面盛汤一面答他："不吃饱肚子哪有力气开刀啊！预热一下。"

今天是冬瓜咸肉汤。我刚盛完，全场爆笑一片，大家纷纷点头说，带着情绪工作是很危险的。这世界，什么人都不能得罪啊！

前一向大家跟总务提意见，要求食堂工作做得细致一点，不要汤里放一大块肉煮，到最后害我们拿手术刀自己分。

今天看来，果然有改进，肉都切开了，可惜只切一半，皮都连一块儿，跟以前一样大一坨，大家拿筷子扯都扯不断。

午餐室是信息交流地。小杜说，孤美人又犯错误了，被病人投诉。

孤美人是上海本地人，有着一种源于本土的居高临下的傲气。这个真跟医生职业没任何关系。我们曾经总结过上海人的特性，在上海人眼里，这世界只有两种人，一种是"阿拉上海人"，还有一种就是"伊拉乡下人"。她最著名的桥段就是，有个病人问她，大夫，我拿外国护照，收费会贵吗？她脱口而出："我们是三甲医院，收费标准是统一的，外国人和乡下人收费标准都是一样的。"

护士长还替上海人辩护呢，说全国各地人民妖魔化上海人。我跟她说，你到论坛看一下，各地人都掐架，东北人骂广东人，四川人骂山东人，但全国人民都骂上海人。

秦教授立刻回我一句："你以为北京人就好？北京人也牛叉得不行。上海人自以为大，还能大得过皇城根脚下？上海人看外地人是瞧不起，北京人更恶心人，他不是瞧不起，他是充满了同情。凡不是北京的，都怪可怜的，来的都是北漂嘛！北京人眼里世界只有两种称呼：中央和地方。上次我们开会，汇报成果，北京医院的人诧异地看着我问：'这么复杂的手术，现在地方也能做了啊！'我靠！上海啊，上海也算地方？"

笑喷。

下次开会，我要强烈建议一下盒饭的摆放制度。每天吃饭就十五分钟，找饭盒都要找十分钟。为什么不能按大写字母顺序摆放？大师兄过来找三圈找不到饭盒，我建议他："你随手拿个不认识的名字吃了吧！"他抓头皮说："关键是都认识。"好不容易摸了个不认识的，说这个姓王的，搞不好是新来的小护士，我就吃她的吧！

吃一半，主任来了，也找不到饭盒，大家一起找都找不到，大师兄尴尬地指着盒盖上的名字说："我以为姓王的，都快吃完了才发现上面有一个点，原来是您老的。"

六六：我要把小波医生的一句话给记录下来：所有的大国都是被人憎恨的。

他这句话来自于我评论的北京人、上海人遭人恨。他说这是正常的，因为你强，你就有优越感，你的优越感就遭人憎恶。这是好事。有一天要是中国人民有资本被世界人民憎恶的话，就是超级大国了。

六六：下午看王教授的门诊，非常快乐。比 LIVE SHOW 还好看。

A病人把所有专家门诊都看了个遍，咨询了数十个医生，主要想比照一下大家讲的话一样不一样。我觉得病人和小孩是一样的。小孩在面对未知问题的时候，他会向不同的人询问同一个问题几十遍以找到真理。他对是否正确的判断来自于重复。如果一百个人里有九十个人这样说，那这个答案就是正确的。

我相信这是病患的普遍现象。因为我娘在决定在华山医院开刀之前，看过如下医院：安医脑外、上海九院、海运学院下属一个伽玛刀医院，还托我到天坛神外去咨询过。我娘最终选择赵耀医生开刀的原因是因为他是第一个告诉她正确答案，日后被大家都重复的人。"他这么年轻，这么有水平啊！大家讲的跟他讲的一样！"

这个过程花了很多冤枉钱。也许医生觉得我们不可思议，可对你们来说是一份工作，对我们来说，是一条命，不得不慎重。

B病人挂了一个十五块钱的号，带了密密麻麻用好几张A4纸打印出来的问题，还标注了很多感叹号、句号、问号、引号。很多问题让我喷饭，很有喜剧效果。

"王教授，这个病有没有什么忌口？"

"我们是西医，不讲忌口。"

"那能不能吃天麻、丹参、鹿茸、灵芝？"

"最好不要乱吃，以免引起肾衰竭。"

"我奶奶有神经方面的疾病，她有抑郁症，我妈妈有脑肿瘤，会不会遗传到我？"

"精神病和神经病不是一种毛病，你奶奶的病和你妈妈的病没有遗传关系。"

这个小姑娘一定没有搞清楚，奶奶是她的亲人，妈妈是她的亲人，但奶奶和妈妈没有血缘关系。

C病患被朋友揪来看病，因为突然晕厥几分钟，抽搐。拍片子一看就是恶性肿瘤，教授建议她马上开刀，费用大约是六万。她突然来一句："这笔钱我宁可赌掉，都不能看病花掉！"

医生问她第一次发病是什么时候。

"就是昨天啊！打了四十几个小时牌以后就发病了。"

王教授："正常人打牌四十几个小时不休息都会有毛病，何况你有这样的肿瘤？爱惜生命啊！"

C："我不要在你这里看病，你好贵哦！上海地段医院只要三到四万，我妈妈说海南开这个刀只要两万！"

C朋友打她一巴掌："你一晚上输的钱都比这个多！治好病再来赌啦！"

C："治好以后我就没有本金了！我很穷！钱都被你们赢去了！我明天回海南了～！"

还忘了加一个女病例。

这个女病人去年开完瘤以后就经常来复诊，带着一堆片子和报告，跟医生主诉说心悸、胸闷、头疼，怀疑肿瘤复发。王教授跟她解释："你不用总这样大老远从温州跑来，你没问题，不会复发。"

"我那么老远来看你一眼，你都不给我开药哦！"

"没药开，你没病我开什么？"

"一点都不开哦？"

"你回去找点事情做做，忙起来晚上就能睡着了。"

"我找不到我的医疗卡了，还有挂号单。"

"没关系，你回去吧！"

过半小时，女病患又敲门进来："王教授，我找到我的卡了，特地给你送来。"

王教授错愕："你不用特地上来啊！"

"我就是看你一眼。"

我大笑，偷偷跟王教授说："你确定她是来看病的？不是来看你的？她哪里是生病？哪里是心病？她应该是相思病。"

王教授风度儒雅，态度谦和，相貌清秀，身材俊美（我隔衣服看的哈！），天生带电行走，江湖号称"师奶杀手"。本坛如有感兴趣者，我负责带你们免费参观。人家看他都要花十五块门票费呢！

为防止他电到我，我主动回避，下个礼拜去眼耳鼻喉医院关禁闭。

MAGGIE：我觉得患者对医生，尤其是看好了病的医生，有对权威的信任和依赖感，这个是心理上的，而且会越来越严重。春节前陪我妈去北京天坛医院神内看病，来看那个主任的全是老病人。寒暄问候的，一看就熟悉得不得了。每个月来一次，能不熟嘛。临走，那个一看就是以前当干部的阿婆，跟主任说，我一个月来一次，你可别让我失望。如果治疗方案不好，我可是要批评你的，你别不高兴，该说就要说，不管你是谁～主任也是一味的点头。现在俺妈也赖上这个主任了，每个月一次，每次连带头疼、脑热、失眠、出汗、食欲如何，每餐吃几碗，每天跑几百米，都主诉一遍，她觉得踏实。

4月8日

刚查完房出来。那个脑溢血的闹事病患现在一切都好，右半身不遂，说话不太灵光。比起死亡，现在的状况令他和家属很满意。

他在口齿不清中要他爱人给我削苹果。也许我们不在的时候，他爱人反复跟他说过是我和二师兄救了他的命。

我很不适应他们这样的转变，我还没踏进病房，他们就会远远迎过来点头哈腰，我走的时候他们一定会恭送出走廊。当年他们挥舞着棍棒在走廊外叫嚣的样子与现在相比，让我经常诧异人竟然有这么多副面孔。

无论他们现在怎样感激愧疚，都已经不可能换回我的小蕾。

那天我忍不住给小蕾打电话，想告诉她人性的两面，电话那头是她冷冷的声音，我还没有张口，她断然说："医院的事和我没关系了，我不要听。"

也许小说里特别喜欢大团圆的结局，相逢一笑泯恩仇，皆大欢喜。可在现实里，我的肚量做不到与我曾经非常憎恶的人把酒言欢，无论病患家属送什么，我都冷淡拒绝，他们归还的上次一万块的医药费，我们科也高调收下。可恨之人必有可怜之处。我救你命是我的职责，但我永远讨厌你。

大师兄从手术台下来，看到我手里拎的糕点就喊："阿拉平平啊！"

我哈哈大笑，喊他："阿拉曦曦啊！"

几个月前的夜里我收治的一个急诊阿婆，第二天是大师兄接手，两周以后康复出院，自打出院之后，大师兄二师兄和我，她每天轮番探望。来的时候带着自己做的小点心，挂个门诊的号，周一是大师兄，周二是二师兄，周三就到病房来探我。每次都笑眯眯的，喊大师兄是"阿拉曦曦啊"，二师兄是"阿拉邈邈啊"，我就是"阿拉平平啊"。其实没什么毛病，就过来看我们一眼，说几句闲话，打量我们的眼神都让人发毛。

我们几个私下聊过，怀疑老太有啥问题。我们就是再帅，对这样一个老太，还能引起花痴吗？

有一天，二师兄终于忍不住了，给老太儿子打了个电话，跟他讲请他把老太领回家，以后不要再来医院干扰我们正常工作了。那么多人排队等看病，我们还得分个号给她陪她说话。有一天她打探到我没有女朋友，居然从口袋里神神秘秘掏出一张大妈照片要介绍给我，真是晕倒！说是她的姊妹淘，感情很好，人很好，一直没结婚。那我也不能效仿黛米·摩尔的小老公啊！何况那个大妈还没有黛米·摩尔的身材样貌呢？

那个儿子来的时候很不好意思，一言不发带走老太。

老太空了两天没来，我们正舒口气。谁想隔一周，又带着酥饼来看"阿拉曦曦"了。

大师兄被老太的毅力彻底折服，私下里跟我们说，算了，老人家好歹也得有点业余生活，我们也勉为其难当回被追星族吧！

再过两周，二师兄主动跟老太说："挂号怪贵的，就是有医保也要六块一次。阿姨你下次来看我们就看我们，不要挂号了。东西也不要带了。"

老太却一本正经说："号要挂的。没号不让我单独进门的。我不要跟人家挤一个房间，说话不方便。"

至此，她爱怎样就怎样，她一进门我们就当课间休息时间到了，陪她聊两句天，问问她饭吃得可好，觉睡得可好，家里儿子女儿怎样，有没有什么新发现，时间也不长，每次十分钟，到点走人。

二师兄喊她"老十三"。刚开始对她很反感，时间久了倒像老朋友了，由过去的老十三，到现在的老十三姨。据说上次和小芹逛马路正遇上老十三，二师兄还一本正经介绍说，这是他姨妈，老十三又一阵子"阿拉邈邈"长，"阿拉曦曦"短，一点看不出破绽，配合得天衣无缝。

今天十三姨送来的是粽子，真是实惠啊！薄薄一层米，里面裹满了香菇、五花肉、板栗和蛋黄。打开粽叶，香气四溢。正好没吃早饭，我打算早中饭都是它了。

刚打开，美小护同学就看见了，跑过来说："阿拉平平啊！吃粽子啊！给我咬一口。"

我赶紧咬一口说，来不及了，已经吃过了。

美小护愤愤地恶毒地来一句："如果你读过历史，应该知道粽子是为了喂王八而发明的。"

我倒啊！

> **六六**：同学们，你们根本不用到片场去看言承旭黄磊之类的。挂个号去神外看看，个个都很有味道，而且味道还不同。要是能混进住院部，那就更不得了了。
>
> 我有一个感觉，当医生的男人越老越出味，就跟红烧肉卤蛋

似的，过三个小时以后才香气四溢。我曾经研究过这个问题，为什么小医生也很英俊但就是缺一股子震慑力呢？

我一个朋友听过克林顿的现场演讲，他说克林顿浑身散发的荷尔蒙可以覆盖全场。无论你坐在房间的哪个角落你都觉得他只看你一个人，只对你一个人说话。

过一段时间我就明白了。无论男人女人，魅力大多来自于气质而非简单外表，气质的一大部分是自信，自信来源于经验和成功。等你混到教授副教授，你就有庖丁解牛般的稔熟于心，很多疑难杂症举重若轻，这些东西就构成了气质的一部分。

女同胞们也别怪小男生们人到中年翻脸不认人，功成名就后奸淫掳掠无恶不作。人家都隐忍这么久了，好不容易熬到金字塔的顶端，没点好处，谁干啊！皇上要不是有三宫六院的引诱，何必坐那位置上担惊受怕遭人谋害呢？

4月9日

引用：http://www.huxingdou.com.cn/privilege.htm

目前，中国的医疗分成几类，公务员享受财政拨款的公费医疗，部分职工是个人账户加社会统筹，另外一些职工和居民购买商业保险，农民参加合作医疗。据第三次国家卫生服务调查结果，城市居民中没有任何医疗保险的占44.8%，农村有79.1%的人没有任何医疗保险。劳动与社会保障部的农民工大病医疗保险试点，也只覆盖了10%的农民工。

卫生部的一个副部长在在国务院新闻办的一次新闻发布会上说，目前中国农村有40%到60%的人看不起病。在中西部地区，由于看不起病，住不起院，死在家中的人占60%到80%。

据《当代中国研究》2003年第4期，从1991年到2000年，中央拨给农村合作医疗的经费仅为象征性的每年五百万，地方政府再配套五百万。全国农民分摊下来，平均每年每人大概是一分钱。

一方面是老百姓看不起病，另一方面离退休高干却长年占据四十多万套宾馆式高干病房，一年开支五百多亿元，再加上在职干部疗养，国家每年花费约两千两百亿。官员们的公费医疗占去了全国财政卫生开支的 80%。

而且，目前中国 80% 的医疗资源集中在北京等特权城市。

世界卫生组织在上个世纪六十年代的时候发布一个报告：中国用世界 1% 的卫生资源支撑了世界上 20% 人口的健康，这是一个了不起的事件。

而 2006 年，中国卫生的公平性在世界 191 个国家和地区中排名倒数第四。

想起来引用这段话是因为今天的事。

家乡的一门远房亲戚辗转托母亲带话给我，我和这位堂兄的曾爷爷的曾爷爷也许是同一房，他父亲被县医院诊断出脊椎上长了个瘤，县医院要求他们去省城看病，省城建议他们来大上海看病。茫茫大上海，顶级大医院，他们能想起的拜托的人也就是我了。

我直接跟他们说，如果想住进三甲著名专科医院的普通病房，这种突发急症就别指望了。排队等的话，如果赶得及，怎么也得半年一年的。不如花点钱住个病房稍微好些的自费医院，早点破财消灾。

堂兄一家人风尘仆仆来到大上海，被我安排进医院。

他进院的第一句话就是："大兄弟，瞧这个病，大约得花多少钱？人能救得了吗？"

我告诉他，这个病，正常看下来，如果不出意外状况，五万左右。这个病不是绝症，能救。只要是手术，总是有风险的，不能说百分之百有救，百分之五十痊愈希望是有的，剩下百分之五十，可能是瘫痪，但人不至于死。

一天之后，堂兄找到我，踌躇半天问：“大兄弟，能给转个便宜点的医院吗？这种高档医院，咱住不起。一天下来啥都没干就收一千块。我们家一个月的收入都不到三千。家里四个老人在农村，看病全自费，一个娃在上小学，眼看着就要进初中高中了，哪都要花钱，更别提大学。我这手头，就十几万，不能都用在一个人身上。这是我爹，我不瞒你，不跟你说虚的。我要是把所有钱都砸在他一个人身上，以后我怎么向其他三个老人交代，怎么跟儿子交代？这钱，我得掰匀了分几瓣花。要是花在治病上，没啥好说的，要是病都没开始治，光住店钱就成千上万，我心疼得慌。”

我赶紧给他转了个便宜的地段分院先住着。

第二天，主治大夫要求他拍个血管造影，大约一万多块，目的是明确下刀位置。

单子开下来没多久，我堂兄带着他父亲就走了，结了医药费，留了张条：对不住你，忙半天，病也没瞧。我是觉得，看病是无底洞，造影一万，开刀五万，万一不顺利，填坑都填不满，算了，我带爹回去了。

我连忙给他打电话，他那头都不接我电话了。

我感到很不好意思，求二师兄给弄床位，求老板给开刀，一切都安排好了，结果什么治疗都没做，人就走了。

二师兄见到我的时候拍着我肩膀说：“放心，把握很大，有老板出面，没有开不好的刀。”

我一脸尴尬说，人走了，对不起。

二师兄先是一愣，一脸不屑地望着我说：“鄙视。不忠不孝。他爹那么年轻，又不是行将就木，把他养那么大，连病都不给治。人这一辈子，钱有得赚，爹只有一个。一个连亲爹都不要的人，好去死了。以后你的事，不要来找我。"

我无语，冷场很久，吐一句："如果他爹是干部，而不是农民，如果他本人是干部而不是农民，他就忠孝都有了。你是鄙视他，还是鄙视农民？"

二师兄怒了："农民也不都无情无义！多少人倾家荡产为爹治病，别说50%的可能，就是1%都不放弃！你家这个亲戚就是不仁不义不忠不孝！没有人情味！"

我不响，半天问他一句："你觉得，人情味就应该倾家荡产，赔上后半辈子全家大小的幸福去挽救生命吗？这就是有情有义吗？二师兄，你能说出这样的话，只能说明，你没穷过。你知道你的未来能挣。一个根本看不见未来的钱途，却看得见未来的捉襟见肘的人，是没有你这样的勇气的。"

二师兄负气而走，丢给我一个白眼。

我内心悲哀。一个人能够有勇气承担千夫所指，有勇气对父亲说咱治不起，有勇气面对后半生的内心煎熬，得多理智才能做到啊！

今天晚上最后一台手术不大，是一个脑积液引流手术，但这个小手术吸引了一个手术室里满满堂堂的人，有主刀大夫，有观望学习的大夫，有医药代表。无他，这是我们科第一次使用德国产的先进设备，仅仅一根引流管子，加了专利技术，价值三万八。同类产品，如果是国产的，几千足矣。

躺在床上的男病人被麻醉过后，赤身裸体躺在病床上，护士们忙着遮盖并露出手术部位。

这个男人，看起来其貌不扬，既不像家财万贯，也不像气宇轩昂，单从肤色和体态判断，更接近于农民，而这条管子价格并不便宜。我在好奇他的身世背景。

手术费了番周折，我们在穿管子的时候对于零部件的摆放和医药代表研究了一会儿，最终手术顺利。

第二天查房的时候我发现，昨天病床上的那个病人，单独住在最高级的医院套房里，其夫人雄赳赳气昂昂，一副官太太模样，虽然说话客气周到，但语气里不容商量，拍板做决断的样子一看就与那些农村妇女的怯怯不同："用最好的药！住最好的房！派最好的护士来！不惜一切代价挽救我的爱人！钱不是问题，人命大于一切！"

过后一打听，她的老公是一名退休的官员。级别并不是特别高。

一个敢于说出人命大于一切的人，是因为他有后盾有支撑。有人为他的健康买单。

同样是劳作一辈子，有的人轻如鸿毛，有的人重于泰山。生命是不等值的。

一个念头飘然而逝，在我的脑海中只驻留一秒：人在脱光了的时候你是看不出身份区别的，人的区别只在穿了衣服才能被分辨。

网友：不知大家是否记得那个著名的"某百万元天价医药费"的案子。一个病患家属将医院告上法庭，说病患收到 N 百万元天价医疗费的单子，质疑医院的收费。最终医院以几十万元的多收费用告败，另外的 N 百万元多收无实据。

有人解读过这个案子的背后吗？

大家都说医院多么无良，医院背后的故事有人注意到吗？

有人质疑该患者有高官背景，是不是高官无从考据，但有一点是可以肯定的，该患者的费用里有 N 百万元是国外购进的天价药品。这笔费用没有被报销采纳。因为没有被采纳需要个人支付，于是家属将医院告上法庭。

　　家属为什么购置 N 百万天价药品？因为他们想当然认为该笔费用会被报销。如果开始就告诉他们这笔钱得自己掏，请问患者家属还舍得这样购买吗？

　　人的命有没有救治的价值，全看是谁买单。

　　六六：为什么没有人深挖这则新闻背后的故事？因为不敢？还是因为触及到很多不能触及的事实？

　　舆论到底给我们在灌输些什么？

　　我们从这则新闻里看到的是：医院都是吸血鬼，大夫都是无良汉。

　　狗咬人不是新闻，人咬狗才是新闻。人咬人又不是新闻了。而且，人也不能随便咬人。

　　媒体在吸引眼球的需要下，很冷血地将可以肆意牺牲的医院和医生牺牲掉。在那则新闻里，媒体和公众只想获得自己需要的信息，那就是医院肆意收费，却没有人去细想，那 N 百万的背后。

　　如果媒体只一味以牺牲医院的形象、医生的形象博取上镜率，吸引公众眼球，我想，这个社会失去的，将是我们最需要的东西，那就是信任。公众印象一旦形成，对医生医院的信任丧失，其受害者是患者本人。医生与患者之间是相互依存的关系，而事实上患者对医生的依赖要更多一些。因为我们都没有专业知识，我们需要医生的判断和承担责任。如果我们因为不信任而质疑他们的专业能力，结果就是医生也不会为你的命负责。

举个例子：我去年摔断胳膊，医生告诉我有两种治疗方案，一种是保守治疗，让骨头长在胳膊里，缺点是有可能以后阴天下雨疼痛。另一个是开刀治疗，取出碎片，缺点是有可能损伤运动神经。

正常情况下，医生会说："我告诉你两种后果，你自己决定治疗方法，我不能替你做决断。"

这个医生我信任他，我让他替我决断，他最终让我不开刀保守治疗。我的信任，为我省了一刀的费用和疼痛，且保护了我的运动神经。目前为止没出现下雨疼痛的症状。他因我的信任而担负了责任。

下午我在五官科医院看诊。

有大夫建议患者开刀，患者疑虑重重。如果我是那个患者，我也疑虑重重，眼睛是我的，万一一刀下去瞎了，我的后半生就完蛋了，我不得不仔细询问。我在以一个外行的眼光在判断一个内行的决断，主要是质疑他的目的：开刀他会从我这里获得好处吗？不开刀真的如他形容得那么恐怖吗？

这个大夫，我很熟悉，我知道他所说绝无戏言。他的品格我相信。

可大多患者是没我这样的私人交往的。

最终大夫说："你想好。你自己决定。你要不开就不开。"

如果这社会上，每办一件事，都要先与打交道的人建立私人感情，我们这一生将要耗费多少时间在无谓上？信任一个人是这么困难的事情吗？

我在医院采风的这一段，觉得医生很可怜。我不说医院，因

114

为医院是一个机构。我只说医生。医生的工作和体操运动员一样，是个 10 分起评，有差错就减分的职业。

所有的病患进医院，就为了治病，治好了病，这是理所应当的结果，因为这是你花钱的目的。事实上，医院里 95% 以上的患者都是痊愈出院或者医治有效的，如果低于这个数字，医院早就关门了。剩下的 5%，有后遗症的，没有完全治好的，或者死亡的，就是被大家挑剔出来曝光、批判、追踪报道的部分。

我们现在只看到这 5%。可能实际数字连这个都不到。

一个病人痊愈康复出院，绝对不会上报纸大张旗鼓声势浩大地造势，顶多是逢年过节想起来表示一下谢意。

于是医生是一个独自欣喜的职业。你做了一台精妙的手术，你力排众议挽救了一条生命，你只能在深夜里静静回味。

很多读者也许现在都在骂我，为什么不替作为弱势群体的病患说话，为什么要替医生说话？我们遭遇过那么多不平的对待，你眼睛都瞎了看不见吗？

我可以和媒体，和你们一起骂医生，这种选择，对我而言是件容易的事，而且很能吸引眼球。要知道，这世界上，最容易一炮而红的事，就是××门事件。揭黑幕、爆冷、扎偏门。

其结果是，我们越发怀疑这世界的真诚，我们越发不能将自己的手，交付于他人手心。

网友：看这两段，想起了妹夫的爸爸胃癌晚期的治疗之路，那叫一个艰辛啊，十六万的费用考验着儿女的孝心和能力，关键是最终，老人没有走出医院的大门就撒手而去了。

老人是位老党员，曾经的一位厂长，却因为厂子的效益不好

115

以及医疗制度的不完善，所有的费用都要自己出。本分的老人，哪来的积蓄啊？

我要去吊唁的时候，妹妹悄悄嘱咐我说，不要买花圈了，去火化场一个花圈就要收十块钱的费用呢。当时我难过得无语，有一种在跟死去的人计较金钱的感觉。而我也是理解妹妹他们的，那时候，他们早就开始四处借钱了，老人走后，他们光还债就用了最少三年的时间。

高额的医疗费和制度的不保障，让多少人死得缺少尊严，又让多少儿女背负着不孝的骂名啊。

六六：我参加的一堂庭审。

今天下午参加一场医患纠纷的庭审，这次是二审。一审判决医院方无过错，道义赔偿一万元。医院同意，现在是控告方不同意，提起二诉。

现记录如下（我现场记录，没有夸张）：

过程：某老伯在治疗耳部疾病的时候，手术后第三天离奇发现自己少一颗牙齿。他认为是医院开刀的时候把他牙齿弄丢了。医院完全不知道这颗牙齿的事情，因为手术不会碰到这颗牙齿，医院带他去照了X光，肠胃里也没有牙齿。医院在找不出事故原因的情况下，帮助老伯补了一颗假牙。

过了几个月，老伯得了静脉炎，他认为这是手术后遗症，与医院协调不成，开始了告状的路。

老伯把他的就医经过以及他的怀疑呈给法庭，经过医疗机构鉴定以及法庭判案，医院和医生无任何过失，静脉炎与耳道手术无关系，但考虑到病患年纪比较大，收入比较低，希望医院给予无过错赔偿。

医院方面的申辩：老人年纪大了，几乎牙根全部松动，也许夜里休息的时候掉了咽到肚子里去排便排出去了。因为耳道手术是不走口腔的，医院不知道他牙齿的事（真不知道假不知道我不清楚，我是听他们说）。

老人申辩：医院在就医过程中态度恶劣，打针前用力打他，说话很不耐烦，他耳朵聋，他们很讨厌他，所以做手术的时候故意害他。

官司开场，法官问，原告提起二诉，是否对一审判决书里陈述的事实有异议？是否有新的举证和补充？

原告及其夫人开始义愤填膺地控诉。法官再次发问："现在讨论的是一审判决书，你二审是基于一审基础上的，请你翻开判决书，说明你对哪句话有异议？哪句话不实？"

原告将判决书念一遍，每句后面都认定一句："这个没异议。这个是对的。"

法官问，那你现在二诉是为什么？

原告说，我认为一审判决不公。我要上访。我们老百姓不懂医也不懂法，我们就希望政府给我们一个公道。

法官跟原告解释，政府和法院是两条线。如果你们上访，去政府，如果你们告状，来法院。你现在是告状还是上访？

原告答：我们到法院抗议。因为你们对我们提出的证据假装看不见，你们帮助医院陷害我们。

（同学们应该看看法官当时的表情。他的内心活动我可以解说：你觉得我们联合起来陷害你，你还来干吗？）

法院说，哪个证据没有采纳？请你出示。

原告开始滔滔江水。

法官制止，说，法院讲究证据，你要提出证据，而不是大部分话里都用"我们认为、我们听说、我们听谁说"。

原告来一句："医院比我们懂医，我们如果有怀疑，法律规定要他们举证的。"

被告律师崩溃状。

法官说："他们举证了，认为你的静脉炎与治病没有直接关系。"

"他们陷害我们，我们要告他们故意伤害罪。"

法官崩溃。

法官耐心说："你如果告他们故意伤害罪，那是刑事案件，不是民事案件，不是二审的事。二审是针对一审的结果进行讨论。"

原告："我们现在就是告医院故意伤害罪，请你们法官给我们做主。"

法官说，这个是另一条程序，你要到公安机关去报案，公安机关立案后提起公诉，然后再审。

原告："我不明白，明明是一个案子，为什么要我们跑来跑去。我们都七十岁的人了，每天为自己遭受的不公平待遇奔波……"

长篇大论。

我笑得不行了。

法官在数次制止无效之后，对原告说，你所有的书面材料请退庭后呈上。现在你希望法院调解吗？

原告："我希望判他们故意伤害罪。"

除原告外，全场崩溃。

俺已经笑倒在地上了。这个这个，绝对比赵本山老师的小品好看。

　　法官说，如果你接受法院调解，那么我们就调解，如果你不接受，我们就择日宣判。

　　原告："什么是调解？"

　　法官："就是你的诉求是什么。"

　　原告："什么是诉求？"

　　"就是你告这个医院的目的是什么。"

　　"什么目的？"

　　法官崩溃："你为什么要二诉？你希望达到什么目的？"

　　律师解释："就是你可以讨价还价。"

　　"什么讨价还价？我还什么价？"

　　同学们，作为旁听，我本是不允许说话的，但我认为法官和律师都太文绉绉了，根本不能直指问题要害，我直接蹦到原告身边，跟他说："你打算要多少钱？上次判你一万你不是不满意吗？你说多少钱你满意。"

　　原告目瞪口呆站在那里，完全没有准备。老太太开始掏她所有的发票。老头问我："你觉得我该要多少钱？"

　　我说："你自己觉得要多少你满意？你提个数目。"

　　老头说："我不知道呀！我不知道能赔多少。"

　　我只好说，能赔多少是法院的事，你希望要多少是你的事。五万，十万，一百万，一千万？

　　老头急忙摆手说，一千万不行的，肯定不会给我的。

　　律师大笑着收拾好文件离庭。

　　这场官司如果以我局外人的眼光看，这对老夫妻脑子坏掉了，P都不懂就来告，而且连个律师都没有，所有的法律词汇一概不懂。

像这样的人，如果请个专业律师来，会省大家很多事。但我立刻明白，如果他们有专业律师，这案子他们一分钱都拿不到。因为专业律师不会在法庭上有这样的表现。

他们告状的原因是：1. 他们的确掉了牙齿。 2. 过后所有的不适他们的确认为是手术后遗症。 3. 他们的确认为医院对待他们态度粗暴。

我的感觉：1. 老人缺乏关爱。医院在静脉注射前应解释，我现在要拍你的手臂，因为你的静脉血管太细。如果你上来拉起人家的胳膊就打，没有医学常识的人的确会发怒。多一句话而已，医院没有做到。恶劣印象形成了，以后怎么都不会好。人是有感情的动物，你对他笑，你对他好，他能领会。你为他治病，哪怕治好了，但自始至终都是冷面孔，老人觉得寒心。

2. 年纪大的人比较偏执。这是共性，不是个性。每个人年纪大了以后，都会逐渐与社会脱节，他们知识更新不行，本来底子又不好。这两位老人以前都是工人。以他们过去的眼光去看现在的事情，很多是扭曲的。所有人都觉得他们俩真是无理取闹不可救药，其实不是的。我们也会老，我们老了以后，如果有人愿意花时间陪伴我们，有人愿意与我们沟通，我们会很高兴。如果社会上每个人对老人都是嘲笑不耐烦，老人积累的委屈会爆发。年纪大的人，眼睛不行了，耳朵不行了，牙齿不行了，这都是自然现象，我们对他们要更耐心一些。

3. 这对老人，医院和法官的感觉都是他们想闹点钱。我觉得不是。他们要讨回公平。否则在法官问他们你有什么诉求，你要多少钱的时候，他们不会掏出各种票据一一对应地算，他们觉得不该他们付的他们一分不能付，不属于他们的他们也不要。他们就是讨个说法，不能说医院无过失，出于同情给他们一万，而是要证明医院的确有过失。

我觉得跟有偏执的老人沟通太难太难。我有外婆，我知道得有多大的耐心，尤其是她耳朵聋眼睛瞎以后。但，他们是老人，他们曾经为我们这个社会贡献过，他们值得我们对他们好一点。

这场庭审的整个过程其实比我的描述还要搞笑。老人们自始至终非常激愤，而且反复叙述过程，他们的叙述总被法官打断，因为法官要的是事实。但老人需要的是倾诉，这两者之间没有交汇点。老人最后对法官都很生气，因为法官不许他们说话。我其实挺担心老太太的，她太激动，我觉得一场官司打下来，一年多的时间，她的日子肯定很难熬，且脸色通红，我真怕她当庭脑梗。

老太说得最多的是：我们老百姓没有钱，我们请不起律师，我们自己为自己辩护。

但说实话，估计律师不会接她的案子。因为没法打。如果是两个律师的对决，我估计这次谈话可能5分钟内就结束战斗了。

一对老人，没有医学知识，没有法律知识，在走漫长的维权道路。他们可能到最后都不会弄清楚到底是他们错了，还是法院医院一家亲，官官相护。

但这次出庭，让我深深意识到，老百姓，的确是医患关系中的弱者。他们没有常识，没有求助的渠道，没有可信任的人，也不知道现在发生的一切是正常的还是反常的。

网友：六六写的那个老头和我去世的爷爷有得一拼。爷爷久病成医，每次到医院，都要更正医生的处方，要命的是效果还挺好。每到清明和冬至前夕，就吵着要住院，社区的医生看见他头疼，

年老静脉细，手被护士都打青了，护士的手也被他掐青了，成了社区医院不受欢迎的人。后来到我表妹的医院，医生护士也被他骂，医生诊断他有老年痴呆症，家里人还不信，因为他讲的话还是很有道理的，后来连我父亲都打，才知道真患了痴呆症。

4月12日

今天大师兄扔来一张片子让我看。一个巨大的良性肿瘤,在脑部深处。他说,我给你看看什么叫庸医害人。亏得这个瘤子是良性的,要是恶性的,这个病人早死了。

这个病人被当地医院诊断出肿瘤后,当地医院建议她不开刀,用光子刀治疗。医生说这台设备非常先进,治疗费用也比手术便宜。病人看了一年,花了三万左右,没有解决问题,来到我们医院。

这个瘤子太大了,无论伽玛刀还是光子刀,辐射剂量都不足以伤害到肿瘤,肿瘤会继续生长。而且因为受过辐射,肿瘤会形成疤痕体,质地变硬。正常人受伤以后结疤的痕迹都比周围皮肤硬。这个病人最初诊断结果出来的时候,当地医院就应该建议患者到大医院就诊,手术切除一部分,将瘤子化小,再用其他办法控制肿瘤生长。

我问师兄:"你怎么跟病人谈的?"

大师兄说:"我没跟她说,就让她来住院。我不能告诉她,她现在状况恶劣是医生造成的。"

我也很无奈。很多小病拖成大病,大病拖成绝症,都是医生的判断失误造成。病人会觉得医生无良，为赚钱而拖延她的治疗。可我知道，绝大多数医生是水平不够。这是个死循环结。一个二级甚至三级市如果不引进先进的医疗设备，他们的神外这个专业或者说许多科室就拱手放弃了。病人有病就直接去了大城市的专科医院。没有病患，没有设备，还怎么看病呢？如果不放弃，你就得有决心花大价钱投入。投入了设备以后，就要用起来，否则设备钱怎么回来，医生的诊断水平怎么提高？很多病例的判断超出他们的水平，他们见得少，不知道什么病可以用这个仪器，什么病用不了，只能在实践中慢慢摸索。

而这个实践，就是以生命为代价的。

如果全国小城市的神外都放弃了自己的发展，结果肯定是中国只有两到三家神外医院，其他统统关掉。

大城市的手外科和一些偏远地区的手外科相比，水平并不高多少。因为地县的手外科，经常会碰到劳作的农民不小心把手指头给弄断了，带着断指去医院缝合的事情。这种 CASE 会比大城市常见。当地医生就是这样生生练出来的。没有显微设备，很简单的显微镜就可以做这种复杂手术了。

无他，惟手熟尔。

人的生命只有一条，拿谁的来练手，这是个难题。

主任的至理名言：每一个名医的身后都背负着几条人命。

现在肯被背负的人命越来越少了，所以名医大约也会越来越少。

早上我去查房，41 病床的病人不许我碰她，拒绝跟我讲话。因为她要组长亲自来检查。我跟她解释，组长不负责病房，病房由我负责，术后的愈合是我的责任，她一脸不信任的表情，对我开出的每一剂药都要质疑。

如果每个病人都这样，医生这个职业，在我们这里要断层了。组长们退休过世后，再无人能看病。

如果所有的病人都只在我们医院看病，神外这个专业在其他城市就要断层了。

现在已经有这个趋势。

我不知道平衡点在哪里。

昨天收治的病人脖子后面长了个瘤子，他去当地医院看病，医院当皮肤病看，从绿豆大长到拇指大长到乒乓球大。到我们院的时候已经有桃子大小了，一诊断是癌症晚期。如果他第一时间就到这里，也许现在生活一切如常了。

TO BE OR NOT TO BE 的抉择。

对我这样的小医生，无解。

六六：我来答几个大众普遍感到愤慨和困惑的问题。

1. 手术室里怎么可以这么不严肃！你们在拯救人的生命！

我写真实的手术室的时候，也有些犹豫，怕写得这样真实，会引起患者的不适。其实神外吴教授的担心是对的。他坚持不让我看他手术，因为他会端着架子，不放松不自由，他得表现给我看医生的光辉高大，而那样他觉得约束。

我想，如果患者设身处地地想自己那样痛苦地躺在病床上，医生在一旁打情骂俏，心里肯定不好受，觉得生命没有被尊重。

经过三个星期的蹲点，我可以跟大家解释，我也想看看多少读者能够理解。如果你们不能理解，我就改成一个非真实的手术室展现给你们，肃穆的、紧张的。

手术是医生工作的一部分，就好像售票员卖票的时候会跟司机聊天，营业员卖衣服的时候相互之间交换生活信息，报社记者工作的时候会扯几句闲话一样。

对患者来说，这是性命交关的事，但如果一个医生几十年如一日，每台手术都如临大敌，严阵以待，作为病患你相信这是高质量的手术吗？大家都经历过高考，其实考得好的学生，或者说发挥超常的学生，绝对不是那些夜夜失眠，考试的时候浑身大汗的学生。轻松不意味着疏漏，不意味着轻敌，轻松是最好的工作方式。

我观察医生手术的时候，很痛苦。我觉得特别累，两手背后，身体僵直，因为不能碰到安全区域，那个姿势让我极其疲劳，我得隔几分钟就转一圈。而医生在显微镜下，身体各部分都是僵直的，只有手腕手指动作，有些很奇怪的姿势，看起来非常态，他们自己感觉不到的，我一直怀疑，那样时间久了，肯定要得颈椎病。一台手术，短则一个钟头，长则七八个钟头，思想本身就高度紧张了，气氛再不缓和，人吃不消。

我记得我的大学主楼上有八个字，我认为这八个字用在手术室非常合适：团结、紧张、严肃、活泼。

如果你们能理解，你们就是素质过硬的病患。如果绝大多数人都觉得不能接受，我再看看要不要改成同志们眼里的手术室啊！

当然我希望大家都健健康康的。

2. 病患与医生。

倒霉的医生看病头，幸运的医生看病尾。这是姚大夫告诉我

126

的。我这两天看门诊，就笑晕了，觉得发明这句话的人太聪明了。

今天跟着看门诊，其中有个病患说了一句话："看病就要来三甲大医院啊！地段医院都是大兴的，看不好毛病，还叫人乱花钱。"

她眼睛不好，发烧，去看内科，又换五官科，又换这个科那个科，全部排查一遍没有原因，最后医生怀疑她脑子里长了肿瘤，请她去××医院拍片子。片子拍出来一看就是垂体瘤。她衷心赞叹："还是××医院水平高啊！"我噗哧就笑起来了，前面的医生真是倒霉，看的都是病头。

我一点都不笑话病人的无知，我恰恰对医生说，如果我病了，请你原谅我的无知。因为我的确不懂门道。一张化验单子打出来，有几个人能够正确读懂上面的数据？没有医生的解释，有几个人知道自己哪里出了问题？如果我们问题多一点，请您不要不耐烦，或者笑我们连基本常识都没有。一个人不到病，永远不会了解这种病的就里。一个病患如果上来全是专业术语，"我胰岛素每天打15，我泌乳素比正常高3倍，我……"这个人就是已经受过疾病的洗礼了。

3. 医生的言下之意。

某医生跟我说个笑话，我听完既笑又无奈。

他说，朋友托过来的朋友找他开刀。他说你不要急着开，先把各项检查都做掉，回家等等看，如果没有进一步长大，就暂时不开。你回去和家人商量商量。

估计病人回家想了一夜，第二天找到他，塞给他一个红包，说："医生，能不能让我早点住院，开掉算了。"

医生说："你胡思乱想什么呀！你是我朋友的朋友，我绝对

127

没这个意思，我是认真劝你，这不是急毛病，不是非要今天住院明天开刀的。你这样搞得我很难堪。"

我跟他很熟了，我知道他不会骗我。他也很无奈，他说，很多时候我说话要非常小心，你随便一句话，别人都会思忖半天。我说重也不是，说轻也不是，很多红包是人家硬塞给我的。也许他心里也不舒服，觉得我在索要。可我真的没有。

他说，现在人真的很复杂，而且各色人等素质不一样，看世界看别人的眼光不一样，你要有很强的判断力。

他说我很单纯。因为他跟我说什么我就信什么。时间久了，他就不用在揣测我心思上花时间，有话直说。这是他最喜欢的状态。

你看世界的眼光，就是世界看你的眼光。你很复杂，世界就很复杂。你很简单，世界就很简单。

这世界究竟复杂不复杂，看客们能给我个答案吗？

4. 红包。

红包有两种：第一种，术前红包，买个安心。很多病人也许道听途说，也许觉得这就是潜规则，我必须在手术前送个红包给医生，这样他会好好给我的亲人开。

我现在告诉你：WRONG。以我对N家三甲医院的观察，你给不给，他们都会认真开，绝对不会因为你没给红包打击报复你，在你伤口上抹一下，让你感染，多住几天。

那个红包，其实是病人家属的定心药。

但给红包和不给红包有没有不同？ 有。

区别不在手术台上，区别在术后的关怀。你给了红包，医生会有精神压力，你出个大小问题他都会紧张，因为内心里觉得亏

128

欠你的。外科大夫，从道理上说，手术做完成功了，后面就基本没他什么事了。你的那个红包，搞不好会管未来三到五年内，半夜里有事，哪怕是头疼脑热，脚底长疮，打电话去询问，他都不会拒绝的。

另外就是，你给了红包，医生会更加设身处地为你考虑费用问题、其他一些与治疗无关的问题，你有什么难以启齿的困难跟医生说，他都会想法给你解决（医生同志们不要打我）。

第二种，术后红包。这个红包是我最感动最喜欢的。我相信医生也会欣然笑纳，如果数目不是太大的话。有些病人术前并没有送，但手术中受到医生的关照，手术后医生也没有另眼相待，在漫长的恢复过程中，医生一直悉心关怀。病人完全痊愈后，为表示感谢特地送来的红包，那种感谢是你没法拒绝的，已经跟钱关系不大了。有些病人带的奇特土特产，太可爱了。我相信医生拿这个红包也心安理得，没什么负疚感。术前红包不好拿，万一出点意外，连退都不好退，还很尴尬。术后红包是最舒服的。我希望大家以后都送这种红包，其实每个不必太大太多，就像过生日或者朋友婚礼凑份子一样就可以，但如果每个康复者都给，数量应该是惊人的（HIA HIA HIAHIA）。

4．灰色收入。

医生有灰色收入毋庸置疑。

我想反问一句，在中国，有没有灰色收入的职业吗？

作为作家、编剧，我首先承认我有灰色收入。人家请我去采风，一路好吃好喝招待，其实目的是为拉近关系，未来有机会合作。我去电视台做节目，有的电视台会给红包表示感谢。他们要不给，以后我就不去了。我认真的。你们嘲笑我都说实话。我现在时间很宝贵，没必要去参加一些浪费我时间的节目，替你们拉高收视率，对我又没有好处。其实我写书更赚，我一小时敲的字超过其他所有收入。但你给我红包，我会很高兴，下次你请我，我不好意思不去。我回去看儿子，有投资公司给我报销机票，我想看话剧或者演唱会，肯定能拿到赠票。

这都是我的灰色收入。

记者采访发稿，尤其是软文（广告稿），有没有灰色收入？你们自己内心答哈！

公务员替人办事，有没有收受好处？你们自己答哈！

搞教育的搞招生的人，各个院校的领导们你们有没有灰色收入？你们自己答哈！

灰色收入已经是GDP的一部分了，医生的灰色收入让我们觉得不舒服，是因为他们最终会转嫁到病患身上。

但医生要是不拿灰色收入，就活不下去了。这个不开玩笑。工作十年的大夫，基本工资两千多，奖金三四千，在上海这种地方消费，房子车子都买不起。一个早上六点起床，晚上十二点睡觉，而且可能睡不成的人，这样被压迫十年甚至更久而不求回报，活雷锋都不行。

医生是人，不是圣人。

最近军队又大幅度提高待遇了，据说工资涨了50%。

公务员每年加薪，所以报考的人越来越多。

而医生开一台手术的费用，估计有十年没涨过。我听说儿童医院开阑尾手术的费用核定标准还是1958年定的。

合理吗？

每个人都有追求体面生活的要求。如果能够以体面的方式获得合理的回报，我相信谁都不愿意做降低人格、挑战尊严的事。

当然不排除人的贪欲是无穷的。否则怎么老有贪官动辄上亿，还不被枪毙。

这么长的辩护文章的最后，我想说一句：不要试探人的道德底线。

一个道德体系建立起来要花几千年的时间，而摧毁它，也许只要几年十几年。

那些不公平的事天天在每个人眼皮底下发生，因为有向下的参照物，我们每个人都不觉得自己在沦陷中，总有比自己更差的，我不算这社会的老鼠。

精神上向低标准看齐，物质上向高标准看齐。

这是我们虽然生活在物质极大丰富的社会里，还是日日都不开心的原因。

4 月 13 日

今天开纠风大会，院长的训话如下：我不要求你们每个人把病患当上帝，当亲人，我就只要求你们把他们当个人对待就行了。患者不是机器，病灶也不是我们操作的工序，你对他们赋予人的感情和理解，就不会有这些事故纠纷的发生。

而两天前，副主任说：我没法不把病人当机器，我自己就是机器。当我站在被告席上一次一次出庭的时候，当我全力挽救病患生命而没有达到效果被病患告的时候，我的热情已经没有了。

这两位都是领导，俺该听谁的呢？俺究竟是机器还是人呢？

但俺非常想跟院长说一句话，虽然俺不敢：您要求俺们把病患当人看待的时候，您能否对医生也当个人看待啊！俺们的澡堂实在是太简陋了，俺们的休息室像集中营，就这样，还有很多人中午连趴的地方都没有。您把能腾的地儿都拿去创造效益了，当然，说好听点是地方都腾给病人了，俺们就不需要维护保养吗？

本周我睡觉时间最长的是周三，五个小时，本周睡觉时间最短的是周一，大夜班过后连轴转，那天木有睡觉。手术后就地躺了半个钟头。

这种状况下，俺不能保证自己不出事。

俺们医院的女医生都当牲口用，男医生，畜生不如啊！马有马厩，猪羊有圈，能在医院给俺们这些拼死拼活的医生留张圈吗？这是我小小的请求。俺就不争取做人的权利了。

六六：今天我碰到一个非常有意思的医生。这个家伙颠覆了我对医生的全部判断。

他是医院里处理医患纠纷的院长办公室主任，他本人也是一位医生。他跟我说，你写的小说都是浮在表面的，我从你的谈话里就可以看出来，你根本没有跟病患交谈过，你这样的电视剧出来，没人看的。我告诉你一个事实：60%的医患纠纷，责任都在医院。

这句话对我实在是太震撼了！

他说，病人到医院来是干什么的？看病的。如果病好了，他们欢天喜地就走了，谁吃饱饭没事干说今天心情不错我到医院来吵一架弄点钱花花？

病人来闹，就是因为医疗不顺利。医疗不顺利，就是有问题。什么样的问题？我认为是态度问题。有的时候的确是医生的责任心不够，疏漏，有的时候是态度不好，解释不到位；有的时候是给病人的期望值太高，最终没达到。所有的这一切，都是医生的问题。

他说，你各个医院走一走，大部分医生可能职业生涯里都会有被投诉的经历，但经常被投诉的，就那么少数几个。我一直认为这就是害群之马，就是这几个人坏了医生队伍的素质。他们没有责任心，没有同情心，没有怜悯心，把病人当机器，把自己当操作员。他们的口头禅就是工厂产品都有2%的次品率，我们医生一天都看一百个病人，怎么不能错两三次？有这个态度放这里，他就不配当医生，这和你待遇高低、公平不公平没有任何关系。不是说你待遇低，你就可以草菅人命，你社会地位不高，你就不必要负责人命。你增加了病患的痛苦，你拉长了治疗的过程，你多花了病患的钱，你就是坏人。

他说，我工作一生，门诊一天看病八十个以上，每个患者一到两分钟，但没有一个病人投诉我。我的手术也有成功也有失败，没有一个病人控告我，为什么？因为我以心换心。病人进门，你冲他笑一下有什么难的？你的说话语气多点温柔少点粗暴，加一个请字，有什么难的？你改变一下说话方式有什么难的？来看病的人，你当他们都是你的父母，你的兄弟姐妹，你的小孩，你会这样呼来唤去居高临下吗？谈手术也有方法，一种是推卸责任的谈法，一种是承担责任的谈法。你说，这个病很危险，会出现各种后遗症并发症，你不签，我们不会替你开刀。这就是推卸责任。如果你说，这个病很危险，虽然很危险，但是我们也要尽百分百的力量去试一试。试的过程中，如果失败了，请你们原谅我们，因为我们不是那么有把握，但如果我们不试，就一点希望都没了。两种说话方法，你觉得如果是你，你更能接受哪种？

他说大部分病患都是通情达理的。你工作做到位了，他们大多能够理解。他们要的也就是一个平等对待，争的是一口气。

网友：六六，我觉得你现在说的这个医生，才是一个真正的仁医，说的是我们病患爱听的话。道理就是这样的，医生有

专业知识不代表就能居高临下。没有将心比心的医生，不是好医生。

六六：那你是一个好病患吗？没有将心比心的病患，不是好病患。我写这篇小说的目的，就是希望自己跳出病患的视角，走进医生的心灵世界。

我亲身经历的一个CASE。

有个孩子，五岁，病毒反复感染角膜，视力迅速下降，一周前还0.8，到眼科的时候就只剩0.1了。那天接待他的医生，这个坛子里熟悉我的朋友大约都知道，是小波。小波和他素昧平生，一听说这状况就急了，带着这个小孩楼上楼下地跑，要最快时间做出各种诊断，尽早手术。

对小孩而言，这就是一辈子失明的事啊！

我是跟着后面楼上楼下地跑的。做到一个房角测试的检查的时候，小波刚推门，有个七十多的老头就拿拐杖撑住门，说，你们医生就是这样腐败的，利用职权，老是插队！那要我们拿号干吗？他一说，群情激愤。小波只好解释说，这个小孩只有五岁，马上就要失明了，要抢时间。

老头说，我们这里哪个不是要失明的？我们为做这个检查，哪个不是排队好几个礼拜的？谁都不能插队。

小波解释说，你能等，小孩不能等。

老头说，谁都不能等！疾病面前人人都一样。

我当时真想煽他耳光。我一气之下一把拉过老头说："你都这么大岁数了，看不见有什么关系？他才五岁，你七十多的老头跟个小孩计较？"

老头拿拐杖打我，要不是小波拉着我，我肯定就煽过去了。

　　你们没见到那个孩子，不知道他多可怜。你不拉他的手，他就会顺楼梯滚下去。失明是不可逆转的，能保住光感，就比失明强太多了。

　　我当时恨得，真想咒老头死了算了。我承认，这时候我一点都没有站在老头的角度去考虑问题。后来小波跟老人说，你先看，你看完了我们再看。

　　老头一本正经地说，我就是维护正义的。我不看，我看在这里，大家都看完了我才看。

　　我的眼泪当场就下来了，我都不知道为什么对小孩子这样投入情感。也许是自己有儿子，不忍心看小孩受罪。

　　小波说，以前就出现过这种情况，他为此难受了很久。有个小孩做手术，排队排得一点一点视力弱下去，手术前一天晚上还能数清楚几个灯泡，第二天上了手术台，又撤下来，因为完全没视力了。对小孩而言，时间就是视力。他到现在都在自责，如果当天晚上加班给他做手术……

　　所以我非常理解他这次为什么如此投入，其实是在弥补过去自己的内疚。

4 月 15 日

早上护士春燕差点出个事故。病人都躺在床上了,吊上盐水,过了十来分钟,病人说胸闷心跳。简单的输液居然这个状况,接上心电图,发现心跳都上一百五了,赶紧拔掉输液,一问,病人说自己钾高。春燕大叫:"你怎么不早说!"病人说:"你也没早问我啊!"

春燕一面补救,一面训斥他:"人身上的疾病,常见的都三千多种,我一个一个问过来还要工作吗?问你既往病史你说你得过腮腺炎!"

病人还申辩:"对呀!你问我既往病史,你没问我现在有什么病啊!我一辈子钾高啊!你只问我有没有心脏病,有没有糖尿病,有没有乙肝,有没有高血压,没问我有没有甲状腺毛病啊!"

春燕气急败坏:"这种事情要你自己说的呀!""可我在医院里,哪里知道什么该说什么不该说呢?上次我来看的时候,医生跟我说,没问你的事,不要说那么多!"

呵呵,一个死结。

20 床和 21 床在吵架,美小护和春燕躲在一边偷笑。

一问情况,20 床嫌自己的床位离厕所太近,味道重不说,人来来去去休息不好，看前面的病人出院了，擅自做主搬到 21 床去了。春燕屡劝不听，俩人吵起来了。春燕经典的一句："你以为医院是坐牢监啊，谁先到谁先霸位子？我们这里病史跟床号走的，打错针怎么办？"病人答一句："那你给我把病史换过来不就行了吗？"春燕气结，正赶上美小护过来，给春燕上了一课，跟她讲，你不要跟病人吵，等下投诉你又很麻烦，你要学会挑动群众斗群众，看我的。

21 床新病人来了，美小护在门口跟他说，21 床是你的，你把东西安顿好。

21 床过去一看，床上躺了个病患，就跟他说，这是我的床！

20 床说，谁先到就是谁的，于是大战爆发……

春燕要请美小护吃饭。

医务处陈主任要找孤美人谈话。投诉多得让主任都吃不消了。

早上病人问孤美人，医生啊，什么时候住院，孤美人说不知道。再问，什么时候开刀，孤美人说不知道。再问，能快点吗？孤美人说不知道。病人投诉：一问三不知。

陈主任跟孤美人说："漂亮的脸蛋放在那里本来是加分的，怎么到你这里都成了减分，情商要提高。"

孤美人反问："情商这东西跟我的工作有关系伐？"

陈主任："小顾，我的话放这里，随便你走到哪里去验证，情商这个东西在任何行业都比智商重要。你病看得再好，没有情商，你都不会是好医生。我看了一辈子病，为什么没有人投诉我？因为我医术高明吗？非也。我的技术可以说在我们这个行当里算中下游的，但为什么口碑这么好？就是因为我情商高。你对病人给点同情，他痛苦的时候你皱眉头，他气愤的时候你表示同情，说话的时候语气客气点，不要铁石心肠的样子，病人哪里还好意思投诉你？"

孤美人："我要是有你那个本事，加上我的外表，我就好去演电影了。也没巩俐章子怡什么事了。你说的那一套，我做不来，个性问题。江山易改，本性难移。"

陈主任："所以你医术很好，但总是吃亏。

"我让你看两个病人家属。

"两个都是植物人，一个的丈夫，每天趴在老婆身上嚎啕大哭：'哎呀，你怎么这样啊，你不要扔下我们父子啊！没有你这个家可怎么办啊！'没事在她身上捏两下，捶两下，跟病人说说话。

"另一个丈夫，木头一样坐在那里，动也不动。

"你觉得这两个丈夫，哪个好？"

孤美人说，当然前面那个好。"

陈主任狡黠一笑说："前面那个男的，在外面已经有情人了，晚上亲戚朋友们一走，他就去跟情人约会。我们院护士都撞上过好几回。后面那个，一到夜深人静，就开始给老婆读故事书，讲话讲半夜。

"人就是这样肤浅。大部分人都肤浅。深刻这个东西，得用放大镜去找。你为什么不能让自己变得让人容易理解一点？雷锋同志好吧？高风亮节吧？可他要是不写日记，以后他的故事我们怎么整理得出来？怎么拍成电影？你心好，面也要好，这才是真好。但心不好，面好，至少还落个假好。心好面不好，最招人恨。"

"陈主任，你说的这些，我做不来。你让我答病人，开刀要等住院，住院一时半会住不了，最少要等三到六个月，如果你托托熟人，送点礼，就会快点，我说不出口。我觉得还不如答不知道。她现在投诉的是我一问三不知，要是我把实情告诉她，她就要投诉医生风气不正了，索要红包了。但我是索要红包吗？我只是不想说难听话而已。两相比较，我觉得说不知道对病人打击要小一点。"

"你为什么非要把话说这么直白？你不会绕个弯说？失业人数和再就业人数有什么不同？通货膨胀和结构性上涨有什么不同？破产和资产重组有什么不同？换个说法，引起的失望感会小很多。温总理都说了，我们不缺钱，我们缺的是信心。你要给病人信心。中国人讲话有个用词技巧问题，如果你说'你最少要等半年才有床位'，人家肯定要投诉你，如果你说'我们医院是全国最好的医院，以前排队排到死都住不上的，这几年盖了新楼，增加了床位，只要等半年就能住进来了'，病人的紧张感一下就缓解了。从以前到死都没希望，现在半年就有希望，这是多么大的进步！这就是技巧。顾晓梅医生，这些技巧你要好好学学呢！"

孤美人这两天明显有进步，从以前一问三不知，到现在一问三不晓。再问，就是不晓得，不晓得，不晓得。

陈主任很有劲的，他是我们医院的传奇人物之一，他的故事可以书写成一部专著。他本来有个结发太太，当然现在依旧是结发太太，是个清洁工，反应上不是很灵光的那种，生了个孩子，陈主任对她不离不弃。所有人都奇怪他为什么不离异，他的理论很感人："这样一个女人，你放她到社会上，她怎样生活啊！我就是旧社会的恩客，我的目的就是为了给国家减轻点负担，何况她跟我还有个孩子呢！以前有个传奇的人叫辜鸿铭，他一生人花花，口碑却好得不行。他也睡妓女，但都是年老色衰无人光顾的，他也纳小妾，但都是家庭贫困，无人照料的。我的偶像，就是这个人了。"

老陈把原配一家都养起来了，包括原配的父母和原配的残疾弟弟。但老陈绝对不是等闲之辈，他在中年的时候偶遇一病患，国色天香，沉鱼落雁，他收治进来，开了他平生为数不多的几个视网膜修补且没有掉回去的成功手术。两周之后，病人就离异了，做了他的情妇。他对两个女人安抚得当，不偏不倚，两个孩子照顾周到，里里外外都摆得平，院里不晓得多少男人为之景仰。他这厢无事，那厢院里也没人追究。到推举医务处处长的时候，全院高票当选，老陈出马。可见群众的眼睛是雪亮的，两个以上的女人都能游刃有余的男人，还有什么病患搞不定？修身、齐家、治国、平天下，这个顺序，真是一点都不能错。

据说老陈看病，水平不怎么地，但收到的锦旗挂满他们科室的墙面，而且病患口口相传，找他看病的人络绎不绝。前一向他开爆一个眼球，因为动手术的时候不小心碰破了血管，动脉血飙出三尺远。眼见小毛病要酿成大祸，老陈对病人说："啊呀！你这个毛病不得了啊，我自己不说你就看得见，血飚得节棍啊！淤血这么多，眼压怎么会不高呢？开刀是正确的选择！要是不开，你眼睛会一夜之间就失明了。失明这东西是不可逆转的。失明不可怕，怕的是死啊！万一血倒逆回脑袋，那就是脑梗！我现在给你排出来了，这个手术难度太大了，我这样的专家都看不了，我要请我的主任出马！你放心，别人请不到他，为了你，我要豁出面子！"病患连声道谢，称老陈为神医再世。后来手术是科室主任修补好的。病人临出院前死活要塞给老陈一个大红包加一面大锦旗，老陈在众多病患及同仁面前再三婉谢："受之有愧，受之有愧！"病患就差单膝下跪明志了。

老陈语重心长地说："病人每个都是善良的，可爱的，好哄骗的。如果连病人你都不肯哄骗，你还做什么医生啊！一个医生最基本的课程就是如何安抚病人的情绪。这点过关了，你基本上就可以吃医生这碗饭了。"

有时候，我想，花言巧语在这个世界上的确有效，否则赧颜的男孩人再好，都比较难被发现。善于表达自己，性格奔放，很多时候是好事情，当然这个性格也许不适合学医。

老陈前一向被医闹围攻，一个人在办公室里被堵出不来，剑拔弩张，当时旁边办公室的人都担心，考虑要不要去救他，结果副院长一句话大家就心安了："老陈是什么人物？没有金刚钻他不揽瓷器活的。黑白道上没有他搞不定的事。我们去叫添乱。他自有方法。"果不其然，不一会就听老陈喊："上厕所你们总不能不让我去吧，等下我拉在这里，大家臭啊！"出了办公室门，后面跟三个五大三粗的人一起进厕所，老陈关了厕所门就在里面打求救电话。不一会儿，黑道上来了三五十人，将医闹团团围住，即将展开械斗。我们都吓坏了，跑过去看热闹，谁知医闹乖乖走人，啥都没发生。其他医院三天两头院办被围攻，我们这里一派祥和气氛。

这都是老陈的功劳啊！没有这样的人在医院，还是不行的。

所以我们一点不嫉妒他钱拿得比我们多，活干得比我们少。因为他那个位置，我们谁都坐不了。

六六：俺今天听到的另一个病患的故事，把我给笑得呀！供大家分享。

某某高官得了胰腺癌以后，他夫人多方打听名医。其中有一个病患十七年前胰腺癌晚期，被部队的一名军医开刀，过后高烧十天不退，病危通知书发了好几回，大家都以为他不行了，没成想他活过来了，且过了十七年。

某某夫人辗转找到这个病患，问他："你还记得你主刀大夫的名字吗？"

　　病患答："我不记得了。时间那么久了，谁记得。"

　　没几个月，某某高官就挂了。

　　病患今天说："我不但记得，我还跟那个医生保持了良好的交往一直到现在，我们是朋友。因为是朋友，所以我不能害他。他治好了我，不一定能治好某某，万一到时候某某死了，他不是要倒霉了？再说了，各人的病情况不一样，我能活这么久，那是我前世积德今生又没作孽……"

　　他最后说："我能活这么久，军医说，不是他的功劳，是我的高烧的功劳，连续这么久的高烧不退，把癌细胞都杀死了，比化疗放疗都有效。"

4月16日

号外号外！二师兄血尿。急性肾炎发作住院。

偶们不怀好意地去看他，大师兄无比悲痛地说："看看，女演员不好碰吧？功夫不够深，铁杵真要磨成绣花针了嗻！才两个礼拜，就搞成这样！"

二师兄一巴掌拍过去，说："没有必然联系。你瞎扯什么呀！"

小芹进来，美丽的女子，脾气也好。笑眯眯地给二师兄剥桔子，一点不像八卦新闻里的女演员那样风骚，看着挺正常啊！

后来一问二师兄，二师兄得意地笑说："舆论媒体这东西吧，有好有坏。我们治好了九十五个病人，媒体不来追踪报道，没什么可报的，因为是狗咬人，不是新闻，治好是分内事，他们只追求那治不好的有差错的极少数。给人的印象我们医生就多么无良。女演员也是一样，都报道她们那部分另类的，被潜规则的，混乱复杂关系的。其实我最近因为认识小芹，认识了一拨女演员，都挺好的呀！因为媒体的安排，最终，我们俩一个无良的医生，加一个放荡的女演员，纯洁地走到了一起。首先，我要感谢祖国，其次要感谢我的母亲，然后我要感谢CCTV，感谢各大新闻媒体，感谢你们的祖宗八代啊！"

小芹笑得不行，在跟我们学她和二师兄第一次约会的情景。小芹说，就约在医院附近，说是过十分钟就下来，哪里晓得一等就是一个半钟头，下来的时候扣子都扣错眼了，只说临出门接了个电话，一接就是一个小时。两人坐桌边点菜，前面是丰盛的咖喱膏蟹、古法蒸鱼，二师兄比手划脚地在形容下午的手术，什么血喷房顶，什么猪肉绦虫可以在脑子里盘几盘，把小芹恶心得一点没吃，他还好意思说："难怪女演员都这么瘦，原来是不吃饭饿的呀！"

我可以看出小芹未来的发展方向，要么在这种血腥的叙述中茁壮成长，吃嘛嘛香，变成个大胖子，从此退出演艺圈，要么就得厌食症了。

小芹跟二师兄约法三章，说约会前后迟到不能超过三小时。意思是，六点的约会早不能三点到，迟不能九点到。因为九点是饭店的最后点餐时间。

听她这么笑说俩人的故事，我也觉得，这个姑娘还是很善解人意的。医生找护士，导演找女演员，飞行员找空姐，这种固定搭配就是因为有职业上的理解。其他组合，谁受得了这种职业的特异性啊！

六六：好了，幕后花絮开始。

那天和我聊天的医务处副主任，是个传奇人物。他在病患那里口碑很好。他在医院也是争议性人物，也许医术不是很高明，但绝对让人佩服得五体投地。我看过他做两台手术，我觉得我要是病患，被他做死我都会感谢他的，他太有语言天赋了。一般医生做手术，病人清醒的话，大多是默不作声的。他不是，他不但说，而且解说得很到位。跟病患说："你的角膜已经坏得一塌糊涂了，怎么不早些来呢？小病不治成大病。"病患就说："我治呀，越治越糟糕。"医生就说："看病要到三甲，要找名医，你要是撞上江湖郎中，不是耽误自己吗？"病患说："我在外地啊，没有你们这里这么好的医生。"医生说："你看，你到了繁华的大上海，你进了顶级的专科医院，你找到了最好的医生，再治不好，那就是你的命了，天意不可违。但是，今天我就要挑战天意，我就要让你重现光明。"

然后他把坏损的角膜剪下来，喊一句："等一下，让我选一个最好的角膜给这个病人。他那么年轻，看不见世界，太残酷了。其他老年病人，给点光就可以了，不需要高质量的角膜。"其实当时盘子里就一个角膜，没任何选择的余地。他当着病患的面对着光看了看，说："这个角膜简直太好了！我做手术这么多年都难得一见。煞清！一看就知道是年轻人的角膜，这种角膜给你用上，你再看不见，那你真是叫扁鹊华佗再世，都救不了你了。"

俺和旁边的护士已经笑得抱作一团。问题是老兄自己一本正经，根本就是乐在其中。

手术结束后，病患紧紧拉着医生的手，说："太感谢你啦！我是上辈子积德才遇到你这样好的医生啊！"医生一本正经地说："哪里哪里，我们相遇也是缘分，只要你恢复了，就是对我最大的奖赏。"

听说，曾有温州老板，术后因为感谢他，直接拍了五十万的红包给他，并到现在都是他的拜把兄弟。凡是经过他手的病人，没有一个不向自己的亲朋好友介绍的。他的生意络绎不绝，资产没有上亿，也有好几千万。

我对他，恰恰蛮敬佩的。

　　各行各业，我觉得，都要学点心理学。与天斗，与地斗，与自然科学斗，说到底，最终都是人与人之间的斗争。

4 月 19 日

大师兄请假了。

昨天他带着女儿去郊外看风景，回来南南就病了，感冒。越是小心，越是要生病。这是两难的抉择。我知道大师兄是希望在孩子能看能稍微动一动的时候，让她感受大自然。嫂子却希望小孩足不出户，把家里弄成无菌病房，这样等到肾脏的到来。

大师兄背负着内心的责难和妻子的眼泪在家陪南南。

我们不知道该怎样安慰他。所以他沉默的时候，我们一个组都不说话。

二师兄也请假了，将拷机交给我，说，没有紧急的事严禁拷他。他受够了约会的时候被我们呼回来的痛苦，有一次据说正好是好事行进一半的时候。

"你们知道这种感觉吧？你们体会过这种尴尬吧？我跟小芹一个月就见那么一次两次，凑个时间约一下那么难，关键时刻熄火哦！你们有没有良知啊？"

我真是无奈。我哪里知道这两个干柴烈火已经到了大白天都要轧一下的境地。我尽量晚上不拷他，但没想到现在连白天都不能拷了。

"你好歹给我个时间限制，你们俩什么时候不好事？"

"是这样的。我们俩只要在一起，基本上就是白天黑夜干革命。这叫加班加点。我们俩见一回好难得你知道吧？她一拍戏出去两三个月，中间就回来一天。我又不能像人家那些大款，没事就探班，俩人不就为这一天而活着吗？不要打扰我们。"

所以，今天院里我当家。组长出差，大师兄、二师兄全部放假。我需要三头六臂！

白天一切皆安。到了晚上，完了，组长的一个病患发生脑梗，当场开始翻白眼。

考虑良久，我还是给二师兄去了电话。想来他们都累了一天了，晚上应该是二师兄保存体力、休息的空当。

二师兄电话里咆哮："你个笨蛋！"我把情况大致一说，他突然就收敛声音说："我马上来，你做准备，十五分钟后我进手术室。"

手术做到天亮，二师兄再打电话给小芹，关机状态。二师兄说，她已经登机回剧组了。

二师兄说，他母亲的要求对他而言实在是太难了。不找医生，不找护士，不找同学，不找同事。

他说，除这些人以外的女人，他很难跟别人做到日夜厮守。小芹跟他谈一些艺术方面的事，他已经疲于应付了，而他跟小芹说手术的事，小芹说，不要听。两个人，最登对的时刻就在床上。

二师兄的家史是我们科的传统爆笑科目，他已经无所谓别人说了。

他的爹以前是我们科的老主任，在年轻的时候意气风发，踌躇满志，基本一看就是未来部长级人物，天生的医学世家，医感特别好，手风特别顺。我们现在的主任有句名言，叫做，一医成名万骨枯。每一个成功的医生背后都背了好几具冤魂。可二师兄的爹是个异数，用主任的话说，他可能是扁鹊的后裔，有透视眼，没有他拿不下的手术。

可惜一代大家毁于大腿事件。

早在八十年代的时候，民风淳朴。那时候的副主任，二师兄的爹，年轻，荷尔蒙旺盛，在医院值班时与护士调情，让小护士坐他大腿上，可巧被纠风院长看到，从此开始坎坷生涯。调到另一个无关紧要的科室做主任五年，再回来继续修副主任五年，待到混成院长，已然错过了晋级部长的黄金年龄，最终卸任在局长位置。一个大腿，毁了我们院的光辉历史，本来很有可能卫生部长从这里走出去。

那个护士，就是二师兄的亲娘，院长的二夫人。

所以二师兄的娘立此家训，防患于未然，以免儿子被自己这样的苏妲己所害。

不过我们科也从此受益。自打有了老主任的大腿事件后，我们科民风就开化了，现在勾肩搭背，搂搂抱抱已然不算啥了。老主任在这点上，是深知群众疾苦的。

4 月 20 日

惊心动魄！

今天科里送来个脑外伤的小孩，年纪与南南相仿，男孩，估计比较调皮，够挂在外墙上的风筝的时候从三楼掉下来。

来的时候已经没有脑电波了。抢救了两个钟头后只能跟家属说孩子没救了。家属哭作一团。

这孩子与南南血型相配，各项指标极好，难得的肾源，我们赶紧通知大师兄，让他去跟家属求要那个肾脏。这是最合适的时机。大师兄在哭作一团的家属面前，极难张口。

大师兄的情敌，当年被大师兄斗败的我们院泌尿科的吕医生最终耐不住气，走上前去跟家属商量，被家属一口唾沫加一个耳光煽回。

吕医生一面让我们维持呼吸系统、保持血压，一面跟大师兄和嫂子商量，不行就强行摘个肾给南南用上。"已经没有用的肾，为什么不能给孩子造福？我们自己治病救人，却眼看着孩子死去！大不了我坐牢！大不了从此以后不当医生！"

嫂子已经完全没了主张，我是感觉她内心里是愿意承担随之而来的后果的。

我也不知道该怎么办才好。这个小病人是我收治的，万一最终被家长发现少了个肾，我的职业生涯也就完了。

唉！完就完了吧！现在医生这行业，对于我，也是个鸡肋，食之无味，弃之可惜。真到了逼迫我决断的时候，真的不让我做下去，不做也罢。未尝不是解脱。

我跟大师兄说，做吧！哪怕把南南当病患，这也是正确的事情。

大师兄想半天说："不行。"

嫂子当场瘫倒，幸亏吕医生一把搀住。

吕医生劝大师兄带嫂子回家。

吕医生自己不走，站在那个已经脑死的孩子身边看。我知道他依旧不死心。

我好奇，当年是什么打动了嫂子，最终让她选择了大师兄而不是吕医生。从任何方面看，老吕更有男人的气魄。我不是说大师兄不像男人，但在这一点上，他太患得患失。如果是我的孩子，我毫不犹豫就做了。

中国人千年的观念很难改变，入土为安，留全尸。其实已经不需要了，为什么不赠予他人呢？也许我站着说话不腰疼，我只是个局外人，看任何事情的眼光都是客观理智的。如果躺在床上的是我的孩子……上帝保佑，阿弥陀佛。但我想我自己是学医的，我可以做到。

我们准备拔管了，外面哭声一片。

吕医生一把抓住我的手说："等一下。"

他迅速给嫂子打了个电话，让嫂子把大师兄麻倒，把女儿运到医院来。他说，他现在过去接孩子。

他拉住我拔管的手说，拜托了。

好。

我等着。

我的确不想做医生了。至少我的医生生涯终结在我认为正确的事情上。

4 月 21 日

我最终还是坐在医生这个位子上。

这是命中注定的，无论我下了多少次决心，无论我怎样心灰意冷。我甚至有那么一刻无比期待新生活的到来，并开始勾勒美好的未来，我一个人在病房里默默地维持这一个已经故去的孩子的血压和心跳。

故事的结局与你我想像不同。

我在病房里等了四个钟头，最后等来了大师兄。

是大师兄亲自拔的管。拔管的那一刻，我甚至看不出他是伤神还是痛苦，非常冷静。

大师兄说："谢谢你们。"

大师兄请了年假，在家陪伴两个病人。嫂子也倒下了。

二师兄回来以后听到这个事情，就扔俩字："鄙视。"

过一会儿，他恨恨地说："沽名钓誉的家伙。整天就想他自己，面子上无比伪善，对这个好对那个好，就是对自己的亲人恶毒。这种男人，可以休矣。当年，嫂子怎么看上这个家伙的？"

我有时候也在想，大师兄莫不是真打算奔着圣人的目标去了。圣人都是孤家寡人。等他的女儿一命呜呼，他的女人离他而去，他就离圣人不远了。我以前觉得好莱坞大片好看，过瘾，却说不出所以然来。现在知道，因为里面的英雄人物都更接近正常人，像吕医生那样的，做自己认为正确的事情，不理会法律规章的约定。只有这样的男人，你才觉得他够血性，够勇气，是个真汉子。老大有点太不食人间烟火了，真如二师兄所说，像个橡皮人，或者伪君子。

　　而且我也不再相信因果报应一说。大师兄对那么多病人心存善念，施以援手，却不见在关键时刻上演电影里戏剧化的一幕，诸如天上纷掉肾脏，随便抓一个就和南南相配。

4月27日

大师兄回来了，很沉默。我们这个组原本玩笑惯的，现在看到大师兄基本都不说话。

昨天做手术，我问大师兄："南南现在怎么样？"

他只说："不好。"

我问他大约还能撑多久。他答，如果到南南走，都没有机会的话，他就不再做医生了。我没控制住自己，突然冒出一句："你是有机会的，你自己放弃了。"

大师兄说："我做不到。我下不了手。那个孩子，跟南南差不多年纪，我感觉在偷属于他父母的珍宝。"

"可是，那个孩子已经死了。你我都知道那是无可挽回的事实。为什么不能在最后时分给其他孩子造福呢？"

"他的父母同意，我才可以去做，否则我一辈子都会觉得愧疚于人。你以为我怕失去现在的工作，怕失去现在的地位吗？我不是。失去南南对我而言才是最大的痛苦。但无论如何，那是我的痛苦，那是我生命中应该承受的。不过，如果南南到走，我都不能给她找到肾源的话，我不

156

再做医生了。"

　　这是他今天第二次说这句话。这是我们组惟一一个有哥白尼一般热忱的执着要做医生的人，此人过后，天下再无仁医。

4月28日

　　没等大师兄辞职，有人已经先他而去了。吕医生辞职了。据说辞职报告上就一句话："如果我没有能力改变世界，那就只有改变我自己。"

　　人多的地方是非多。这两天二师兄也出事了。我们看他的眼光都怪怪的。背地里一直讨论他的事，一看到他，大家都住嘴了。

　　报纸上登出消息和照片，某大导演留宿女郎×××，一看就是小芹姑娘。怎么所有的一切都像千年早知道一样，你所认定的事，最终都会发生。就像病患认定医生都是无良，消费者认定无商不奸，老百姓认定是官必贪，导演女演员注定淫荡。各行各业都没好人了，而且大家从起先就不看好。印象就是这样形成的，你先认定它，再通过时间去慢慢验证。要是女演员没绯闻，倒是奇怪了。

　　我们吃饭的时候围在一起，基本就在讨论这个事情，女护士尤其起劲，可以将某大导演的绯闻轶事说得有鼻子有眼活灵活现，仿佛身临其境。二师兄这两天脸色铁青。可我估计他如隔山打牛，空谷回声，基本没什么机会回应。因为大家都不会当他面说，他又不能逮谁跟谁说，于是吃瘪。

我因此知道了为什么男人被戴绿帽子是件可悲的事情。无论这帽子是真是假，没有一个男人愿意自己和女人成为别人茶余饭后娱乐消遣的话题。以前二师兄小芹长、小芹短，自己俨然都快成娱乐圈的一分子了，现在却绝口不提了。

　　周日下午有个病患用药出了问题，我拷二师兄回，他很快赶来，脸上居然有五指印。我真是哭笑不得，想问不敢问。想当年克林顿就这样顶着淤青的脸满世界招摇，全天下的男人都是一样地痛苦。我忍不住问："小芹回来了？没听你说起？"

　　二师兄不答我，只当我是空气。

　　一切结束后，他并不回家，拉着我到办公室。

　　坐下半天他不说话，突然冒一句："我冤枉她了。我们都冤枉她了。报纸不可信，都是骗人的。"

　　我没敢接话。

　　"小芹说，她跟导演什么都没有，夜里一起出去吃夜宵，是全剧组的人，记者只拍他们俩。"

　　我忍不住问："需要手拉手吗？"

　　他说："小芹说，她拍戏的时候腿给撞到，走路瘸了，导演过意不去，搀扶着她。"

　　我沉默良久，最终说："你跟我说是什么目的？希望我挨个帮你解释吗？你知道我不是这种人，如果你需要解释，还不如告诉美小护，她是消息集散地。"

　　二师兄不说话，半天才说："我跟你说，你会信吗？"

　　我说："我信不信的，有什么关系，关键是你信吗？"

　　二师兄说："这就是小芹打我的原因。她觉得我侮辱她了。其实我内心里是倾向于信的，我和小芹认识不是一天两天，她当初吸引我的就是单纯。可你知道，演艺圈是个大染缸，好人都会变坏，否则没法生存。再说了，所有的绯闻，你说报纸是无风起浪，可最终好像都会被验证是正确的。我该怎么办？"

大师兄走进来，敲敲门，说："我插一句嘴。"

二师兄不说话。

大师兄说："你不要糟蹋小芹了，你配不上她，还是分了好。当年我就说过，你们俩不合适。现在我还是这样说。没有相同的生活背景，没有共同的兴趣爱好，没有一致的信仰，仅凭性或外貌的吸引是很难长久的。以前我觉得小芹是个风尘女子，你是个花花公子，俩人没法组建家庭。其实，上次你生病，小芹照顾你，跟我们说你们谈恋爱的趣事，我觉得这个姑娘，和我们认识的其他所有姑娘没有任何不同，她善良，踏实，真诚，有主见，在凭自己的努力做事业。她当时说她被钢丝吊起来拍武打戏的时候，我内心里很惊叹她的毅力，那么瘦小的人，要忍受那么多艰苦，才有一线希望成功。其实各行各业都一样，当医生也好，搞金融也好，搞 IT 也好，搞艺术也好，每一个领域里的成功人士，一定是凭努力真刀实枪干出来的。你霍思邈也不会因为有个当院长的爹，就一跃成为一代宗师，这个不是皇帝的位置，传代传出来的。小芹打你一巴掌，我觉得没打错。她在气愤为什么她所有的努力你都看不见，却只见那些浮在表面的东西。你最好回去跟她道歉，否则，不是你犹豫要不要她的问题，而是她要不要你的问题。"

二师兄惊讶："你确定小芹什么事都没有？她现在并没有成功，却在成功的道路上。就好像医生在前进的道路上必定犯错，搞金融的人在成功的道路上必定亏本，小芹怎么就不会为成功而违心呢？"

大师兄问他："你在意的是小芹跟别人睡觉你吃亏的事，还是在意周围人看你的眼神，还是比较起来你更在意周围人带给小芹的伤害？万一小芹是无辜的呢？观众可以八卦她，记者可以猎奇她，认识的人可以议论她，这是她这个职业带给她的副产品。就像我一直认为医生这个行业，病患质疑我们就是这个职业的副产品，因为很多时候，我们的同行都在质疑你的判断。还记得上次我怀疑你给39加床开刀是为了搞钱的事吗？我和你，这么亲近的关系，我都不了解你，你如何让病患了解你的真心？可是，你是小芹的亲人了，你都怀疑她，还有什么比这个更伤害她的？你自己想想，想明白了去跟小芹道歉。"

二师兄看看我，我只好说："我没大师兄那么高尚，但我认为，你找了小芹，你就得承受这些。刚开始你可能不适应，时间久了你就不在意了。这个吧，谁都有第一次。第一次都是疼的，过去了就好了。不过估计以后一辈子，你大约在报纸上看到你老婆的次数，要比现实里看到的次数多。但说实话，要是我，我是不会找女演员的。人靓是非多。找老婆是过日子带孩子的，哪能天天抛头露面。本来找女护士就够辛苦的了，家里小孩都没人带，要是再找个女演员，她一拍戏走了好几个月，你以后的家谁照顾？听说你妈妈挺挑剔的。"

大师兄问二师兄："你那个不是省油灯的妈，怎么评价小芹的？"

二师兄笑着说："以前的标准是四不找。现在说我找到一个四不象，还不如女护士呢！来了个狐狸精。我妈对我最多的叮嘱，从以前的要找个正经女孩子，到现在要注意养肾，多喝枸杞子茶。"

大师兄终于笑了："小芹原来是工兵，为未来的士兵扫清障碍的。小芹过后，估计你妈看谁都顺眼了。"

二师兄站起来说："舒服多了。还是需要兄弟滴。我这几天老想打人。"

我接一句："结果被打了。"

二师兄对着墙上镜子照一下说："不明显吧？这个女人，力气还是蛮大的。我现在放心了，要不是她自己情愿，导演想霸王硬上弓，那是不可能的。"

我以前一直觉得老大虽然脾气好，心地好，人挺面的。从小芹的事里，我才知道嫂子当年为什么选他做丈夫：心胸！

5 月 4 日

　　运气这东西有点像赶鱼潮，一波一波的。最近这段时间组里顺风顺水的。

　　老二心情愉快，又开始了他的情色工作生涯。刚才美小护同学叮嘱他给申报本市杰出青年的项目书套上套子："你不要举着这么精贵的东西甩来甩去，等下皱了，没有腔调，不登台面。上面的章和院长签字油墨都没干，等下蹭得到处都是。最好找个什么套子套在外面！"

　　老二答她："美眉同学的提醒恰到好处。套上套子比较安全。我这就去找个安全套。"

　　老大也轻松起来，南南这段时间保持稳定。前一向的冲击，在他们家里算是过去了。南南就是他心情的罗盘。

　　早上科会，老板提了三点意见，最后把全科说乐了。

　　第一，注意超标问题。上个月财务又提醒我们，医保超标了。老板一脸为难地说，大家能不能手里控制一下，尽量……尽量选点便宜的病人。自己说完感觉又不好意思，又追一句，如果是紧急的必须救治的，就……还是收吧！全场已经开始笑。

这个是没办法的事。社保局对一个住院医保病患的上限额度是两千块。十年前订的标准，十年后还是一样。这十年，房价都翻了四五番了，猪肉都涨了七八倍了，医疗用品都提价N回了，医保标准不变，多收病人我们科多亏。我们组一个月收四个医保，多了亏不起。所以哪个病人本月被有幸选中，全看他疾病的耗钱程度。

第二，注意与家属的谈话技巧。以后不允许量化，什么95%成功，5%失败，不许讲。要把数字概念模糊化，大多数人和一小部分人。因为最近的官司有几起都是量化被抓的把柄。你跟病人说5%的失败，他们都以为自己是95%，高高兴兴就去做手术了，万一不理想很难处理。

第三，上级医疗机构要各大医院注意一个新动向，去新疆下放返城知青变医闹的问题。请各级医疗机构提高警惕。

老二突然冒一句："怎么提高警惕？防火防盗防知青？一看年龄相当的，先问他有没有新疆下放背景？如果有，立刻戴上头盔跟他讲，对不起，你的病，看不了？人家本来不闹的，给你这样一弄，不闹都要闹了。"全场大笑。老板讲："这个小猢狲，哪个替我拖下去打一顿再拉回来。调皮捣蛋。"

中午午休，老大老二拉我一起筛选病人。电视台要做一档歌颂我们医院和医生的节目，叫"同在蓝天下"，要搞一档和谐社会的现场直播，让我们自己选取可歌可泣的病人，越惨越戏剧性越能打动观众。这个快把我们难死了。老二当时拍胸脯跟女记者说，要说幸福感，我们这里难找，要说不幸人间地狱，我们这里没有最惨，只有更惨，交给我了。

于是中午，我们三个人翻遍全科病例，拿着个案比较："这个惨，这个真惨，惨无人道，都开了八刀了！""你这个没我这个惨，我这个是小孩，家庭要破裂了。""这个是真正的惨绝人寰惨不忍睹，这个人是要活剖的，他没法上麻醉。"我好不容易拿出一个案子，老大给我一个爆栗，说，现场直播啊！你难道要观众听到屠杀的声音吗？你不要考验观众的忍耐极限好不好？我都受不了。

就在这关键时刻，护士长宝珍说，那个马上要入院的苦菜花啊！你们忘记她了吗？

大家一致认定就这个人了，一个天生倒霉蛋，几乎集世界苦难于一身的耶稣性人物。幼年时期爹死娘嫁人，少女时期被剥夺了读书的权利，打工的时候手指头被机器轧断，好不容易嫁人了，发现不育，没两年老公跑了，刚平复了心情，发现癌症，搜罗了所有的钱财才够拍CT，最后我们都听不下去了，主动要求免费为她医治，科里刚捐的款。

这种典型的活生生的案例，根本就是为拍电视而生。难怪古人说："天生我材必有用。"

与电视台订好了拍摄时间，给她安排好过半个月在白衣天使节的时候现场手术，叮嘱护士跟她在入院单上签好备注，一切料理停当。

我们终于要以正面形象示众了！太期待了！

今天孤美人又被投诉了，她给病人查伤口的时候，揭纱布过于用力，把伤口重新给撕裂了，补了两针。被组长叫去谈话。她的回答是："这个人的皮肤脆性很好，没什么弹性。我一般都这样撕的，就他出问题。"

孤美人同学能够嫁出去，真是女人界的奇迹啊！她老公在家地位一定很低。

5月6日

　　我们太不高瞻远瞩了。我们永远不适合做好莱坞编剧。

　　难得策划一档如此精彩的节目，大家把自己都要感动了。脚本交给女记者，记者还没看完就泣不成声，说要拿去参加奥斯卡最佳纪录片奖的评审。一个天生戏剧性的人物，就为这个纪录片而生，一辈子霉运到我们这里终于要扭转了，情满人间的温情剧。

　　结果就因为女主角选择错误，造成了无可挽回的损失。

　　霉的人，真是到哪都霉啊！我们怎么就忽视了这一点呢！

　　两周后的手术，都安排好了，跟老板也汇报过了，老板也是期待得很，全科上下都喜气洋洋的，都忙着争谁是这部奥斯卡即将获奖影片的男一号，谁都希望能在镜头里露半张脸。

　　就在这个关键时刻！

　　昨天晚上她病情突然恶化了。

　　当晚给拉到手术室就切了。

　　现场直播没赶上。

　　给电视台打电话，要求改录播，半夜里电视台备完器材，叫醒人员

166

赶过来，现场吹的头发，化的妆，女主持人往镜头前一站，我们这边已经开始缝合了。

女主持人爆了句粗口：连吃屎都赶不上热的。这人真是太背了。太背了。太背了。戏剧冲突就是这样来的。

连肖邦都谱写不出我们的悲伤。

同志们哪，选取女主角成功与否，直接决定了命运的成败啊！

偶们那个沮丧的表情啊！你们真应当来看看。

电视台说，得重新来过，再选一人吧！

今天我们又开始选取病例。

选来选去，因为有那个悲惨到极致的人垫底，怎么都找不到比她更具有煽动性的人物了。而她注定是个悲情人物，我们彻底被她给害惨了。连天加夜班赶出的脚本，一页都没用。

我们勉强凑了个病患送上去。如果没有前面一个做比较，我觉得从道义上说，也还是蛮悲惨的。问题是就是因为前面那个太惨，这个就没有新鲜感了。果然被电视台拒了。

我们跟女主持人商量：这种百年不遇的大灾不常有的，你不要把我们当中央电视台。我给你个五十年一遇的勉强凑合一下吧！

电视台兢兢业业地拒绝了我们的请求。因为胃口被吊高过后，一般的小菜是很难抚慰情感了。

我们上哪去给他们找故事啊！愁死了。

5月7日

这档节目的编导晚上把我们三个约出来喝茶。磨叽磨叽透露个意思，说是为配合和谐社会和感动中国的需要，能不能联袂做场 SHOW。说小了是为节目的效果，说大了，是为突出我们医患情感的亲密和弘扬我们的高大形象。

我靠，电视台现在的节目都是这样包装出来的啊！我们三个依旧一头雾水。

老大问他："你是说，随便找个病患开刀，把脸蒙上，假装是她？"

编导断然拒绝："我们不做假戏。我们是社会节目，不是拍电视剧，这要是被查出来，就是第二个纸包子事件了。绝对不行。"

我们彻底被搞迷惑了，又不做假，又要这个特定人物，我们怎么变得出？

编导问我们有没有可能，当天再把这个病患拉到手术台上装模作样地开一刀。

我们不是演员出身，这个对我们有难度。

我们三个人商量了一晚上，最终决定跟病患撒个小谎，跟她说做个修补术，小麻一下，把以前的刀口浅开三公分，再缝两针，配点其他病患开颅的镜头，基本就不穿帮了。

三个人结下桃园之盟，谁说出去，谁天打五雷轰。这个盟约主要是针对老大的。这家伙一看就是个叛变分子，犹豫不决的样子真是讨厌。要做对整体环境有利的事，要做有益大众的事，小众利益被牺牲，这是正常的。

演戏，真不是人干的活啊！老二辛苦了。这段时间跟小芹在一起，还是有进步的，挖掘了他细胞中的演艺天赋，不光光是演艺天赋，还有编撰剧本的能力。未来要是医生干不下去了，还多了一门谋生技能。

我的同学，中山医院的小裴，最近辞职了。本科毕业八年，完全放弃，博士都要到手了，放弃，去做IT。不知道因为怎样的爱恨情仇和勇气，才能做出这样的决定。怎么没有事情推动我痛下决心离开这里呢？

5月10日

非常同情二师兄的说。

报纸上又出他家媳妇的八卦了，这次搞得真假难辨，因为有当街激吻照了。俺不知道这照片他自己有没有看过，反正全科的人假装都跟新闻绝缘了。没人提。

当明星的男人，真不是一般男人的素质啊！

他过去有一阵子特别喜欢跟我们显摆娱乐圈的新闻，说得有鼻子有眼的，就跟他亲身经历一样，那些曾经遥不可及的明星们，都与我们骤然亲近起来。

似乎轮到别人身上，所有的奸情都是真的。轮到自己身上，所有的奸情都是假的。

这是我从二师兄身上得到的启示。

我都不敢问他了。

第一次的时候，他闷声了好几天。这次很轻松，完全不在意的样子。他自己不在意，倒弄得我们像贼了。

晚上做手术，他跟我说，很多事不要只看表象。深层的东西究竟是什么，只有当事人知道。美小护旁边突然插一句："你老婆好像跟导演街头激吻，这个的深层是什么？"

老二神态自若地答："炒作。"

美小护嘴巴一撇说："为弄点新闻，牺牲还怪大的。"

老二说："这对演艺圈的人来说，没什么。亲吻就像我们握手一样。"

美小护接着说："我知道的，上床就像上厕所一样。"

老二脸色骤然难看。美小护安慰地递给他一把剪刀说："剪他，出口恶气。"指指病人。我们几个笑喷场。

老二说："大家都以为演艺圈的人关系淫乱，就好像大家都以为商人奸诈，克斤扣两，大家都以为官员贪污腐败，大家都以为医生道德败坏。其实，你美小护整天跟我一起厮混，你最了解我的，我为人善良热心真诚，哪里有一丝一毫像坏蛋？"

美小护不屑地说："我们科要是有一个人适合拉出去演反面人物，你就是代表了。别给自己贴金了。郑少男说这话，我信，这孩子长一脸无辜样儿。你讲，本来挺纯洁的圈子，给你一申辩，都百口莫辩了。"

老二说，小芹真的挺单纯的。我前两天因为有事要给她打电话，白天她片场里关机，到半夜都两点多了，我打到她房间去，她就一个人呆着。拍戏是她的工作，每天都累得不行了，你还让她搞七廿三，她又不是铁人三项。所以报纸上说的，我知道是假的。

我突然问，你要是不怀疑人家，半夜打电话到人房里去干吗？

老二愣了，说，你觉得我是那么小气的人吗？半夜查哨？

我怎么觉得并不重要，关键是小芹怎么觉得。

我现在觉得，这俩人，挺悬了。

171

5 月 11 日

老大说，今天院里书记找他谈话，又重申了一下现场直播的事。不过书记说，患者要有被告知权，不要偷偷摸摸做这样的事，本来挺美好的一件事，到最后要是被曝光了，又变成丑闻。也许这世界上很多丑闻的出发点是好的，诸如水门事件。但拉链门事件估计怎么整都披不上正义的外衣。

书记希望老大去跟病患做思想工作，告诉她身上担负着承前启后继往开来的重任，全国医患关系的和谐，自她起就开创新风尚了，让她知道她的这点小牺牲是为了全国人民的大利益。

老大带着政治任务，老二带着草拟的告知书就去了病房了。

明天就是直播日，一切已经准备就绪，我们即将上演一幕早已排练好且已谢幕的喜剧。

今天，我们把病人已经长出的头发茬又给修了修。好久都不干备皮这种事情了，老二说我手生。干点坏事，就要欺上瞒下的，多一个人知道多一分风险。

三个人正在宽慰病患，主任进来了，一脸怒气。一看就知道大事不好。

主任就说三个字："撤了吧！"转身就走。

我们三个面面相觑。老二咬牙切齿地掐老大脖子说："你这个叛徒，只要有你在，我注定只有失败没有成功！"

老大急得大叫，申辩不是他告的密。

老大追出去跟主任说："书记都让我们……"

主任说："谁来都不行。总理都不行。刘副教授，我真没想到，连你都这么糊涂。这是人！这不是表演！不能一切都在演戏！"

"那……电视台那边……"

"跟他们讲，不行。"

女病患自己追出来，对主任说："医生啊，我很感谢你，我真的很感谢你。我不会说话，讲不好，但我知道你们都是好人，这个事，对你们有好处，我愿意做的。要是没有你们，我现在都死了。我要报答你们。"

她这一句话臊得我们羞愧难当。我们几个大男人，因为一点名，一点光彩，让一个生病的女人来为我们搭台唱戏。

主任对她一笑："休息吧！再有几天，你就能出院了。"

我的发现：主任只对陌生人笑，对熟悉的人，是没有笑脸的。我认识他这么多年，就没见他对我笑过。

我如果写悬疑片，肯定是个高手，因为我只在片尾揭示谜底。

我是那个告密者。

因为我内心里摇摆不定，我不知道正确还是错误，我不知道万一这个被揭穿了，我是否能够承担起这个责任。在我无法预料未来的时候，我将一切交给领导处理。

现在，我的痛苦非常剧烈，我是否要跟老大老二坦白我是那个告密者？我要是不说，以后领导要是说出去，我是否还能在这个组呆下去？

这是个巨大的难题。

5月14日

我决定不说。知道以后就再说知道以后的话。

电视台对我们的临阵无理由脱逃感到愤慨，难得给一次脸，自己还不要了。

作为相应的回馈，在天使日当天，他们以曝光我们医院的病患投诉以及医生收拿药品回扣礼赞我们。正面典型就这样变成了反面教材。人嘴两张皮，好坏由人说吧，不辩解了。

以前有个前辈教育我一个理论，叫职业不道德。就是把不道德的范围控制在职业以内。比方说记者的不道德就是不说真话，医生的不道德就是昧良心赚钱，教师的不道德就是无教有类，演员的不道德就是潜规则，小商贩的不道德就是克斤扣两以次充好。

职业范围之外，我们还是要做一个没理想有道德，没文化有纪律的人。

比方说，离开职业之外，我们要遵守交通规则，要五讲四美三热爱，遇到不平要拔刀相助，上车见到老人孩童要让座，这样才能搭起和谐社会的柱子。这就好比是建楼我们要搭脚手架，虽然脚手架是空心的，中间光线乱透，但没这些脚手架，楼根本起不来。千万不要本来就是中空了，大家还你抽一根毛竹我抽一根钢管，别说楼了，架子首先就塌了。

希望大家把这个变成一个约定俗成，千万别连最后的一点底线都破坏了。

任何一个职业的人，你都不能得罪，免得他职业不道德你。

头两天美小护跟我说，科里新来的一护士，厉害得不得了，去饭店点菜的时候大声催促服务员，菜老是不来，她要求退，服务员说，这就上了，退不了了。果然不几分钟就端上来，小姑娘骂骂咧咧走了。美小护说，她从卫生间出来经过厨房的门，看见服务员往那个急躁姑娘的菜里吐唾沫。

老大跟我说，他家因为对清洁要求程度比较高，保姆很是有意见。问他们为什么被单非得手洗不能洗衣机洗。老大媳妇跟她解释说丫头病着，要尽量不交叉感染，所以分类洗比较安全。

保姆心生怨恨，手洗床单被套的时候就暗地用牙咬，床单被单没洗几次就散架了。他们还不明就里。保姆大言不惭地说，手洗就是比机洗费衣服。直到换了个保姆，那个比较职业的业内人士才捅破天机。这种行业机密，本行业的人要是不爆料，外行人永远只能心存狐疑。

头两天科里的某教授说，他最恨警察，老是在过年过节前找茬抓他开罚单，等下回碰上哪个警察犯他手里，也不用怎么多害他，手术缝合完以后脱下手套在他伤口上那么一划，光感染高烧就够他喝一壶了。医生有一百万种方法让你死无对证，所以心存善念很重要。

其他的我就不说了，小商贩们平时学习不咋地，到作假牟利的时候，能把化学知识运用得让专家和他们的老师哭泣。

以上这一切提醒我们，要严于律己宽以待人，任何时候对人报以宽容的心，尽量少得罪人少逞口头之快，最美好的死法，是躺在家里的床上老死。

　　我为之要奋斗终生啊！

5月16日

抹泪中。

去年一年省吃俭用共攒人民币五万元。加上父母鼎力相助的二十五万，我总共有三十万的存款。依父母要求，要迅速在本城安家置业，先筑巢才能引凤，否则哪里来的凤凰。以三十万为首付款，我最大值可以买一百万的房子。

在医院附近拉了个五公里的圈，找不到父母要求的一百万的房子。

俺父母对住房的要求如下：

1. 有阳光。

2. 南北通。

3. 地段不是太偏远，最少有两间卧室，方便他们偶尔过来住住，最好三间，未雨绸缪。

4. 好学区，为将来考虑。

5. 交通生活方便，附近有好的医院和菜场。

俺按这个要求划一个圈，围在圈里的房子，每平米四万。我手头的钱够买七平米，放大后，够买二十五平米。

这就是父母培养俺二十二年学龄在这个大城市能买到的立足之地。

我不遗憾，不难受，不伤感。

我这不算什么。

我的大师兄二师兄以及诸多师傅们，在这个城市里，如果安分守己地生活，固守一技之长，基本也买不起医院附近三公里的房屋的。

这个城市的市中心，最好的房子住的是领导，领导周围的房子住的是老外。老外周围的房子住的是异乡投资客和本地资产阶级后代，其次是商人、艺术家，像医生之流，已经被划到大舞台一百八十块票价的外围圈了。

俺们科也有开法拉利和住豪宅的富人，他们都不是靠本职工作发财的，不是有祖产，就是炒股票，再不就是投资了房地产。但凡老实工作的，也就混个温饱。

哼哼，等我有朝一日学成，等我有了资本，我也会尽医生这个职业的传统操守，劫富济贫，不收红包我心有不甘。

每个人都有追求美好的权利。所以每个人在这个城市里，都在尽力实现利润最大化。

我当初的理想，都到哪里去了？

这是我真实的心情。

我老动脑筋买套房子。在上海。

虽然我理智上知道，在上海买房子绝对是亏本。市中心一套房子四百五十万左右，有时候一百五十平米都不到。但租出去也许只有一万，贷款却要还两万，二十年，不加首付。

但我必须得买。

我看出未来的趋势，钱越来越不值钱，我的钱要是放在银行，过二十年就是废纸。我宁可欠银行的钱，都不能让银行欠我的。十年前我觉得上海房子贵，现在我挣这么多，依旧觉得上海房子贵。房子这东西，就应该是你穷其一生追求的目标。你追呀追呀，追了三十年，才发现这房子快过期了，不能传代。

现在哪怕赶上传代，都要交遗产税了，最近刚开始执行吧？

这个城市让我有紧张感。

而且是个巨大的旋涡。你在边缘就会被吸进，逃不出来。你不可能按你自己的步调行走，你就得按这个城市的步调行进，否则你就被淘汰。

要么，这个城市就是一个星系的恒星，总有一大群的物质围着它转，你想逃都逃不开。

多少人累了，希望自己能歇一歇，可哪怕都心梗了，也不敢懈怠。

有多少人心里怕这个城市，恨这个城市，绝望着这个城市，却一步都不舍得走开。

还有多少人飞蛾扑火，奔着这个城市如旋转木马上看到的灯光那样目眩神迷的幻景而来。来的时候赤手空拳，却计划走的时候拎着两大口袋。

这个城市是吸金的地方。它比赌场还令你难以抗拒。只见人前赴后继涌来，却不见人拎着口袋走开。你赚到了就花在这里，你再赚了再花，总有无数的名目吸引你，让你带不走你的财产。

你在这个城市变强大了，变坚硬了，变无所不能了，变不纯洁了，变不幻想了，变脚踏实地了，从少女变少妇了，从小伙子变秃头了，最终，你变成熟了。

外来的每一个人，多少年之后依旧觉得自己是这个城市的异乡客，同时又以土地公的眼神看着新进的菜鸟笨蛋。你搞不清楚，你属于这个城市，还是被这个城市抛弃。

你努力学这个城市的语言，又摆脱不了乡音的纠缠。

这个城市，叫做蛊惑大上海。

5月17日

今天老十三阿姨巡查她的领地，顺便给我带了肉汤圆，还是热的。这玩意儿真是没法吃。汤圆居然还是肉的。看她殷切的目光，我只能勉强咽一个。我感觉老大老二和我快成她的实验田了，所有的创意厨艺都在我们身上初体验。

啥时候她要是能放过我，我就阿弥陀佛了。

刚才去诊室找老二看病理，看见老十三拍着老二的肩膀一脸严肃地说他："我要好好交批评你了。哪里可以这样说话，一点不顾及人家的感受，好好的人，回去就要给吓死了。小家伙你要不好好学做人，阿姨下次不给你炸春卷了。"

我没笑背过气去。那么大年纪了，居然称自己为"人家"，哆得真是一塌糊涂。老二面部表情那个奇特啊！

后来问老二，说不是的，刚才看了个病患，正被老十三抓到，认为他说话不妥当，在给他上课。老二抓到片子就说，脑瘤复发了。病患说，三级胶质瘤，五年复发了。老二忍不住赞叹说，谁开的手术，这样漂亮！三级的癌症平均寿命也就两年，这个五年才复发，太好了！你应该还去找他！

病患家属当即叫起来："医生，你不要乱讲话啊！你怎么这样啊！"眼神乱瞟她妈，意思是她妈还不知道。老二本来挺激昂的心情估计一下就被打击了，冷淡地说，那你说怎么讲，要么你让她出去？要么我和你出去讲？

房里一片冷场。恰赶上老十三过来，塞点肉元宵打圆场，当着病患夸老二医术高超，当着老二夸病患长相后生气色好。

老二的臭脾气，估计自此不再说话，冷脸写完病历就打发人家回家。病患家属最后说一句："上次开刀的医生是王教授，他已经去世了。他家里人推荐了你。"

王教授年纪轻轻就过劳死了，两个大手术之后心梗死在家里床上。他之后，我科要是再能推举出一个天才外科手术刀，接班人也只能是老二了。

病人临走前，老二冒一句："病历上我写过了，你要决定再开一刀的话，我明确告诉你，我水平是不如王教授的。"

我们都能感觉出老二的不愉快。老十三半哆半劝跟老二说："你只夸王教授手术水平高，你有没有想过，这个女人能活到现在，跟她不知道病情也有关系呢？"

老二说："三十关放疗，她怎么可能不知道病情？也太天真了吧？我不知道是病人家属天真还是病人天真。"

老十三讲："对你们医生来讲特别明显的事情，对我们病人来讲是完全不知道的。你跟我说肿瘤一二三四级，我都不知道哪头严重哪头轻的。现在治疗有那么多方法，又是放疗又是化疗又是介入又是射波刀，病人知道啥呀？而且人一生病，脑子很简单的，就一个字：活。两个字：

活命。不要说化疗三十关了，你只要跟她讲，过了这一关，病就好了，就是吃狗屎，都吃的。要不然，胎盘童子尿什么的哪里来的市场？过去皇帝干吗要炼仙丹，不就是为了不死吗？你一下把门给她打开了，非要她跨出没有护栏的阳台，她回去就吓死了。医术好，口里也要积德的呀！"

老二说："你这样讲，医生哪里还是医生，就变成江湖术士了。你放心，只要你开了我的刀，就长生不老了，只要你吃了我的药，就起死回生了。我做不到。"

"你讲话好不要这样直接不啦？我不骗你的嗒，我邻居带他爸爸去医院看病，诊断出肝癌晚期，只有两个月寿命。去的时候人活蹦乱跳的，回来的时候是被抬回家的。两个月不到就没有了。结果两个月后医院要他去复查，说是片子看错了，拿了人家的片子。人都没了还查什么查？"

"那他到底是不是肝癌晚期啊？"

"P！就是普通脂肪肝。本来是去看三高的。心理暗示对病人来说很重要的来！我讲你不要不信嗒，刚才的阿姨，回去就被你吓死。她能活到今天，肯定跟家里人照顾得好，不让她担心有关的。你心口天天堵块石头，头顶上压根梁柱，你活得好伐？"

老二本来还不快活，被老十三给逗乐了。心悦诚服地接受批评。"那下次她来，我就跟她讲我看错片子了？她是良性肿瘤？"

5 月 20 日

这个医院的繁荣下面，垫的都是医生的骨灰。每年体检，都会查出几个癌症晚期。自己还是在医院里工作的人，也没行着什么方便。孤美人查出甲状腺癌，九个淋巴里有三个有了。我们知道以后都很震惊，她还那么年轻，小孩也小。

一直没什么幽默感的孤美人，突然冒出句幽默，在我们去看望她的时候，她说："太好了，我终于不要面对病人了。原来这就是我祈祷的。人真是没事不要瞎祈祷。免得到时候如你愿了，却不是你所想要的结果。"

她从查出毛病起，就真的不用上班了。主任为她请来了肿瘤医院的主任，给她做手术，希望她一切平安。

今天，老二跟我说，他成功地拒绝了一个难缠的病人，劝他回家，不要开刀。心理战术真是不简单。那个病人被我们科另一个组已经拒了，据说是个很难缠的主，一眼就能看出来以后要惹麻烦。我对兄长们如孙悟空般的火眼金睛感到敬佩万分，说实话，我实在是分辨不出，谁会有可能在未来的原告席上与我面对面。我除了要提高医疗技术以外，还要提高辨别能力，这个也是专业技能大比拼中的一项。

这个病患，我见过，老太太，七十刚出头，长了个大瘤子，已经不良于行了，若是开掉，活几年不成问题，若是不开，也就是一年以内的事情了。可老大老二坚持，这个老太，开的价值不大，惹的风险不小。我不明就里。老大说："她的儿子不好对付，以后会生是非，七十多了，离开世界也不可惜了。不是小伙子，怎么样都要努力一下。"

我沉默良久说："仅仅因为她的儿子看起来不善，就要剥夺她的寿命吗？事实上，我觉得她的儿子看起来很可怜。"

"那是虚伪的表面。越是看起来可怜，越是你说什么都照办的，越是竭尽所能卑微的人，越有两面。他现在对我们有所求，所以卑躬屈膝，没问题，皆大欢喜，有问题，他会翻脸不认人。"

"那就尽量做到没问题啊！"

"任何一台手术，我都没把握说百分百。所以行业里说，医生越开刀胆子越小。年轻的时候看的都是成功的95%，年纪大了以后看的都是失败的5%。我只给值得我相信的人开。只给熟人开。"

"你的武断会让很多人失去生命。"

老二过来说："但我宁可保险点，我自己在，然后才有青山。这个人绝对不能做，会给你吃药的。其他组都拒收了，我们为什么要接棒？"

我眼前是挥之不去的那个儿子可怜巴巴的眼神，和将一切都交付给我们的决心。

我要再做一次叛徒。

我骨子里有叛徒的天性。

我追上那个背着母亲出医院的儿子，跟他说："你去求求这个人。"我把写有组长名字的纸条塞进他的口袋。

5 月 25 日

老太太正式入院。老大老二反对无效，组长坚决要收这个老太。我一个人捂嘴笑。

以前孔子说，有教无类。对病人也应该这样吧？不能以自己的喜好决定收与不收。主任说，医生就要训练出一种本能，就是死的要往活里拉，活的要往好里拉。每救活一个人，都是对自己的挑战。

医生有一百种方法杀人不用刀，所以，医生善良很重要。否则如果是一个冷酷的人，一个不动感情的人，一个理智超乎寻常的人，就掌握了生死判官笔，他会依据形势判断，这个人还要不要救治了，是不是还要继续浪费钱财。

那个老太太的儿子，我觉得很好，不明白为什么老大老二坚称他有恶人的潜质。早上组长查房的时候，他非常恭敬谦卑，话语里全是信任和依赖，我想应该不会出什么问题。

二师兄出了个纰漏，比较大。周末晚上医药代表请大家吃饭喝酒，估计喝高了，被医药代表搀到宾馆休息，早上起来发现自己赤条条无牵挂。

本来这样私密的事我们是无从知道的。糟糕就糟糕在，他给那个医药代表敲诈了，那个女孩以为自己是莱温斯基，拿着一条有污渍的内裤要求二师兄娶她。

我们都笑死了。

二师兄牙倒了一般地难受，要知道他娘是绝对不会允许他娶一个中专生回家的。更糟糕的是，他是明显被暗算了，男人被要挟结婚总是一件浑身长癣的事。

二师兄让我们给他出个主意。他的单身生涯以这种无奈方式告终好像挺奇怪的，而且那个姑娘据说长得就一副交际花样，不太正经。我们也一筹莫展。

更糟糕的是，隔壁手外科的一个家伙特地幸灾乐祸地跑来拍拍老二的肩膀，跟他说，这个姑娘外号叫"公共汽车"，老二从此跟我们市各大医院的医生们都结成了兄弟关系。

老大竟然在老二这样危机重重的情况下，调侃他，说他良家妇女睡多了，报应来了。后半辈子给这样的女人缠上，也是他的造化。

大师兄建议他去找美小护帮忙，那个邪邪的丫头应该能够以邪压邪。

美小护一听，答应以朋友身份两肋插刀，扮演他太太去跟那个医药代表过招。

故事被小护一说，总是很精彩。

据说小护还借了宝珍的孩子抱去，跟那个医药代表说："我们俩早就登记了，因为他妈妈不同意结婚，我们一直没办婚礼。孩子在这里给你看。在我们家，他占了便宜就是我们一家都占了便宜，我吃了亏，就是我们一家都吃亏。这种两厢情愿的事，过去了还不就算了，你还想怎样？"

医药代表据说目瞪口呆，居然张口说美小护没有廉耻之心，不给身份地位和名分，都敢生孩子。

小护永远一张笑嘻嘻的脸，答人家："我们主任有一句名言：成就都是时间堆积出来的。我这个位置，不好坐，像和你这样的谈话，一年几乎都要有三四次。看得多了，我从以前的质疑他有问题，到现在相信，男人常在河边走，哪有不湿鞋的。你不下水，水扑你。不过呢，男人虽然经常湿鞋，却很少见光脚回家的。要不怎么说落花流水呢？这个位置，只要我自己不挪地，其他的，都是过眼烟云。你说呢？"

小护还开导那个姑娘："男人犯桃花劫，连上帝都会原谅的，更何况老婆呢？我代他向你表示道歉。你放心，我会替你教训他的，你要是觉得亏了，我就替你多睡他几回帮你报仇啊！"

老二对美小护同学的临场发挥佩服得五体投地。

美小护教育他：我俩再怎么斗，那都是人民内部矛盾，对外要一致。你的困难，就是我们科的困难，你的脸面，就是我们科的脸面。谁让我连年都是科里的标兵呢。

老二眼珠子滴溜溜转地说："你跟那个公共汽车说的话，是你的肺腑之言伐？如果是，我觉得你和林凤娇有一拼。成龙这一辈子，代言小霸王学习机，小霸王倒闭了；代言爱多 VCD，爱多老总坐牢了；代言汾湟可乐，汾湟可乐没人喝了；代言开迪汽车，全国才卖了 900 多辆；代言'不含化学成分'的霸王洗发水，结果让人告虚假广告了。他一生做的为数不多的值得称道的事，就是找了林凤娇。我看，我这一生，如果也和他一样不靠谱的话，我干脆娶你得了。"

美小护白白他说：林凤娇这一辈子，拍电影成了影后，生孩子成了优秀母亲，惟一不靠谱的事，就是找了成龙。你说，我何必要重蹈覆辙呢？

这个礼拜，那个医药代表已经不到我们单位来了，换了另一个区，估计是怕了美小护了。因为那之后，她总共就来我们医院一次，可能想和老二谈谈，却见美小护从手术室热情地奔下来，说是看看自家妹妹。大方的是美小护，窘迫的是公共汽车，她临走前恨恨地对美小护说："算你狠！"

5 月 27 日

二师兄现在对美小护同学言听计从，原因是有把柄抓在美小护同学的手里，万一小芹回来了知道这件事，那就完蛋了。二师兄坚称他是被陷害了。一个人喝那么多酒，怎么可能还人事，只是被脱得光光照了艳照而已。他说，别的他不敢说，但张柏芝被拍了艳照，肯定是因为被人下了药。

小芹真的回来了，不过带回了一个重磅炸弹。

她把写有自己绯闻的报纸丢在老二面前。老二不在意地跟她讲，他已经想通了，对这些娱乐圈炒作的把戏不予理睬。坚持自己喜欢的人就行了。

小芹说，这次是真的。她终于醒悟到，两个不是同行的人在一起生活，是没有长期共同语言的。她已经厌倦了一到餐桌上就听老二说脑袋打开红红白白，血溅二尺，猪肉绦虫盘三盘有一个人体那么长，她也不再有多少热情向老二诉说片场的故事。

老二为了保守他的秘密，最少被我们讹诈了五顿大餐。

现在看来，这笔钱白花了。

到底不愧是老二。小蕾的离去最少让我伤心五个月，而老二似乎第二天就不怎么伤感了。也许他早已预料到这一天，只是犹豫着不知道是否应该先张口表白。

　　老二回复到过去打情骂俏的年代，又与美小护同学公然搂搂抱抱打情骂俏，且很不要脸地宣称因为要报答美小护而把小芹抛弃。全科都对老二说"你老婆"，以这个称呼调侃美小护对老二的搭救。

　　今天感觉日子里少了点什么，有点不对劲，就是想不起来。

5 月 28 日

　　今天老大提醒我了，他说，奇怪，这个礼拜，怎么老十三没有来？我意识到，我缺少的那部分，原来是昨天早上老十三的点心。

　　以前看到她就想逃，看习惯了，突然有一天没了她喊"阿拉平平啊"，浑身不自在。难道这就是传说中的习惯成自然？

　　老二下午过来跟我说，老十三住院了，不是我们医院，她家附近的一家医院，二次中风了，估计时日无多。他下午要去看看她，问我要一起去吗。我下午一台手术很大，不晓得几点结束。就跟他说，算了，你先去吧，我明日再去。

　　晚上做完手术，想到老二说的老十三也许时日无多，也许明天我去看她的时候，她已经走掉了，犹豫了半天还是去了木槿医院。

　　老十三阿姨在重症监护室里，找了同学带我进去。她浑身插满了管子，同学说她估计也就这一两天的事了。脑子里飘过的竟是她做过的粽子、百叶结、红烧狮子头、青团、蛋挞……还有她摸着我的头逼我吃下的场景。每个人都留给别人独特的记忆，在她离世的时候被人惦记的就是她孜孜不倦提醒我们的地方。她说："阿拉平平啊，不要太卖力，当心身体。一个人的成功不在于他干了多少事，而在于他活了有多长。一个二十岁的人对社会的贡献再大，都不如一个活到八十岁的人。"我以前嘲笑她的话，觉得一个没有读过书的人，还有哲理的一面。一个人过了六十，就不再对社会有贡献了，从六十往后就在消耗资源，如何谈得上成功？如今看来，不是这样的。你对生活的理解，到八十岁才到达精华提炼，前提是没有老年花痴的话。

我跟同学说，麻烦你照顾她，对她好一点。

同学很诧异地问我："你也是她亲戚吗？今天你的两个师兄都来了，一个说她是姨妈，一个说她是舅妈，你们组原来都是亲戚啊！"

我对着不能言语的老十三一笑，幽她一默，我说："她是我的奶妈。我和那两个不是亲戚。"

我想老十三会很高兴的，我们最终，终于成为她的平平、曦曦和邈邈了。

6月2日

有些人甘愿付出，有些人安于接受。这个位置的颠倒，总在没有机会翻本的时候。

我们现在反而会经常聊起老十三阿姨。昨天二师兄在学她痴癫的样子的时候惟妙惟肖，说到一半竟然眼圈红了。他说："我该对老十三好点的。"

老大说："你对她，已经很好了啊！你不是都去看她了吗？"

老二说："可她不知道了啊！"

今天老十三阿姨下葬。我和老二有一台手术，不能去送行，老大代表了。老二在手术台上说："经典之所以成为经典，是因为你引用的时候，总是那句话最恰当。《大话西游》就是一部经典作品。曾经拥有的时候不知珍惜，等失去的时候才追悔莫及。我以前一想到她要给我送不晓得什么样稀奇古怪的吃的我就头疼，最过分的一次搭配是肉里嵌糖桂花！你吃过肉圆里包糖桂花吗？"

我答他："我认为最过分的是糯米粉里包肉。她哪里来的这些创意啊！你说她，又提《大话西游》是什么意思？莫不是想跟我说你怀念她的肉夹糖桂花了？"

"我是有点怀念。再也没有人给我惊奇了。我好不容易适应了她，以后每个周二上午没人给我送早点了。"

"放心吧！会有的。也许某个医药代表。"我有意嘲笑他一下。

他面部表情痛苦，说，那我宁可是老十三。

老大回来了，递给我们一个小盒子说："老十三阿姨给你们的，肉圆糖桂花和肉汤团。"

我和老二惊骇地从凳子上掉下来。

老大若无其事地掏出一个红豆银耳莲子粽，边啃边说，还是热的呢！还是那么的难吃。

我和老二都不敢说话了。

老大说："吃吧，最后一顿了。老十三可能发作前有预感，给我们一人准备了一样我们最怕的东西放在冰箱里，本来要上个礼拜送来的，结果发病了。今天去葬礼，她儿子交给我的。算告别礼。"

我真是无语啊！这种纪念方式也太特别了吧？让我吃还是不吃呢？都放一个礼拜了！

我恶作剧地将肉圆糖桂花交给老二说，你刚才还在怀念，这个就聊以慰藉你的情感吧！老二苦着脸说，怪不得人说前人说过的话都是经典，又验证了。没多久以前，孤美人说，千万不要祈祷啥，它总会以你意想不到的形式出现。果不其然。

6月3日

我以前经常觉得记日记让我显得很三屉馒头，不像个职业杀手。三屉馒头，是小杜对 SENTIMENTAL 的戏称。自打韩峰的日记曝光之后，我就觉得，其实记日记是一名大好青年未来功成名就或者身败名裂的捷径。否则以后万一不小心万古流芳了，连点事迹都讲不出，现在这个就当是原始资料，而且一步一步记录我成长及发家的过程。

顺的那波过去了。

不顺的这波来到了。

上次开刀的老太又被她儿子背回来。说回去以后一切都好好的，能下地做饭了。不晓得怎么了老感冒，淌清鼻涕，最近这段时间鼻涕已经变成雨水滴答不停了，这才想起来是不是脑子开的刀出了问题。

一检查，果然是脑脊液漏了。跟家属说要重新开一刀，做个引流。老太的儿子当场脸色就很难看，责怪我们手术做得不成功，让老人吃二茬苦受二遍罪。

老大跟他解释，这种不是事故，是手术概率问题。一百个人里总有一个到两个，摊上谁只能是遗憾。医生在手术台上，谁都掐算不出谁会是那个漏的。我们也不想。

老太儿子问："那这个手术费用多少？"

"三万五到四万五之间。"老太儿子一脸痛苦。

"那你们的失误也要我们承担吗？这个钱很不老少一笔呢！"

老大非常尴尬，他想半天说："这个只能是家属负担。因为它不是医疗事故。它是脑部手术到现在为止都没解决的难题，找不出规律，找不到原因，每个个体是不同的。有些人花了钱，病也治不好，有些人花了钱，就治好了。碰到这种情况，我们也很为难，这个费用，让我们出，好像也不合适。"

"你们怎么能这样呢？说开刀的时候都要开的，开完了好坏不管了。开好了都是你们的功劳，开坏了跟你们一点关系没有，都是我们自己长得不好。要不然就是科学没有达到。那你们承担什么责任呢？"

"我们的责任当初开刀的时候就告诉过你，告知你手术是有风险的。但不开是肯定不行的，瘤子已经这么大了，一时也死不了，你让她这样痛苦你自己也看不下去呀！再说了，刚开始你来医院的时候，就应该知道这个手术很难做，要不然别的组也不会不收你。我们收你的时候就跟你说了不能包好的呀，当初坚持要开刀的，也是你呀！这点上，大家要相互体谅。"

"那你确定引流以后就没事了吗？"

"我不能确定。我只能说，对于这种手术后的并发症，我们可以用这种方法解决，大多数人都能解决掉，但只要是手术，那还是有风险的。"

"×！一到这个时候，永远是这个 × 样子！没一句肯定的话，责任和钱属于我们，你们啥都不管。你就老实跟我说，开这个刀，到底风险有多大？"

"一般，不会超过开那个瘤子。"

"跟开阑尾炎比呢？"

"没法比。我是神经外科医生，没开过阑尾炎。"

"阑尾炎是小手术啊！一般人都不当个事的。"

"但也有人死于阑尾手术。"

"那就要找医院的麻烦了啊！阑尾开死人，不是谁都接受不了？"

"我们只能尽力。我们肯定不会去故意开坏一个手术。对哪个病患，我们都不可能做这种砸自己招牌的事。你要相信医生，这点职业道德我们还是有的。我们会尽力，但结果如何，还是要听天命。"

"哎呀，你们这样就是在推托责任嘛！"

"那要不然你再考虑考虑？"

"你让我怎么考虑，手术是你们做坏的，现在要我们考虑。按说做坏了修补也是你们的事啊！"

"是我们的事啊！但前提是，它不是做坏了，它是一种概率。不是人为因素造成的。你只有面对这个现实，我们才能继续进行手术啊！"

"我现在跟你们说什么都没用啊！第一刀是你们开的，你们怎么说就怎么样啊！第二刀，也只能你们开啊！我放到别的医院谁会接受呢？"

"那你如果同意了，我们准备下周给老太太动手术。"

老大出来就跟我说："这个人很难缠的，不太说得通道理，我们还得在手术前跟家属谈一次，借用一下医务处的会议室，准备好录像和录音。"

我现在才知道，老大们对病患的判断，直觉是准确的。他们怕的不是一万，而是万一。对于那些没有万一准备的人，他们不愿意触碰。

这个娄子，当初是我捅的。

六六：殷大奎在庆祝《中华人民共和国执业医师法》实施十周年大会上称，由国家卫生部、司法部、全国人大内务司法委员会支持举办的本次调研，就执业环境现状、医疗纠纷、医师维权和医药卫生体制改革等问题，对北京、广东、辽宁、山西、河南、贵州、四川、青海等地3182名医生进行了问卷调查。结果显示：仅有7.44%认为当前医师执业环境"良好"；有48.2%想放弃医师职业；91.9%认为自己付出与报酬不相符，超过一半认为医师的收入差于教师。

网友：我是一名医生。我们医院的老医生都在感叹，等他们退下以后，不晓得找谁看病，现在的小医生们让他们胆战心惊。他们当年学医的都是优秀学生，现在来医学院的学生，都是一类优秀大学考不上，剩下来把医学院当保底的。而且现在片面追求高学历，本科毕业不去医院开刀，错过了手最灵活的时期，等博士毕业了二十八九岁再开始拿刀，手硬得一塌糊涂。医生就是个技术活，越早开始手越灵巧，科研好，杂志文章发得好，并不代表你开刀技艺高。

所以，你们去医院看病，找年轻的博士或者博导，其实是误区。

6月4日

在一场如临大敌的谈话之后，老太太第二次进了手术室。

今天是老二主刀。老大说自己最近一向手气不好，开个刀也出现脑脊液，让老二做这个简单的手术改改运。

今天美小护说了个很丧气的消息，说她娘小中风，半身有点不遂，请了个护工来看护她，因为自己忙，没空。

美小护说："你知现在我们这个城市的生活成本伐？请个保姆，不照顾病人的嗻，早出晚归，没任何工作经验的，一千八起，第一天洗坏我的真丝裙，第二天把我的白大褂染绿。从来没用过微波炉和消毒柜，排气风扇刚去就给拧滑丝，我好不容易把她培养得上手了，她走了！才干了一个月，去下一家就涨工资，说是有经验了，两千！你们相信伐？我在这个医院里工作，三年才涨的幅度，人家一个月就涨到了！你们晓得现在请一个护工，没什么护理经验的，一个月多少钱？四千！我现在恨不得辞职到家里照顾我妈妈，比付保姆费还省些。我已经沦为这个城市最贫穷的一个阶层了，连保姆都不如。"

我忙着在脑皮上挖洞，老二在腹部穿孔。

老二笑嘻嘻地答她："所以，你们护士毕生的追求就是嫁一个医生。长期饭票就有了。我们这个职业，人嘛，花点，钱嘛，少点，但旱涝保收，而且梯级增长，越老越值钱的。美小护啊，我们俩现在男鳏女寡的，不如凑一起吧！我觉得你很适合当我老婆，尤其是你处理'公共汽车'的那个水平！"

突然老二大喊一声："SHIT！肠穿孔了！"全场傻掉。

老大原本在外头转悠，迅速过来问："怎么回事？"

"阴沟里翻船了。老太太肠粘连，肠壁又脆，碰上去像品客薯片一样的。穿了。"老大也傻掉。越是怕出事，越是要出。

老二垂头丧气地走出手术室。门外是焦急等待的病患家属。

老太太腰边挂着屎尿袋，迷迷糊糊的样子。家属的儿子已经快晕厥了："不会吧？开个脑子，弄出个脑脊液，引流根管子，弄得肠穿孔！你们拿我娘练手啊！现在这个样子怎么办？"

老大说："这个真是手术意外。我们也很遗憾。"

"你们除了意外、遗憾还会说什么？你们自己说，我娘现在这个样子谁负责？"

老大说："你放心，我们会把这些问题处理好的。过几天，肠子慢慢会修复的。"

"那不行！这个算医疗事故吧？这个算你们态度不认真吧？你吃干饭的啊？要是你的娘，我这样东拉一刀西拉一刀，你接受吗？你们也太不把病患的生命放在心上了！这是人哎！不是活体实验！"

老二走过来说："刀是我开的，你不要跟他吵。责任在我不在他。"

老二推开老大。老大想把老二拉一边，老二制止他。

"哪个医生不想病人健健康康平平安安出院？你母亲的瘤子，当初来的时候，你自己就知道很难开。你自己坚持要的，那这个后果你就是要认账啊！"

"我认账是我娘的病！不是你们医生的疏忽大意！你要是第一台手术把我娘开死在手术台上，算你狠啫！我签字的我认账！现在东一刀西一刀上一刀下一刀，你当我娘是穿破的裤子啊，到处打补丁？"

"你这种人，我见得多了。你只能接受成功，不能接受失败，只能好不能坏。我跟你讲，要是第一刀老太太就死在手术台上，你会放过我们吗？你一样不会的。求人的时候一副可怜巴巴要多惨有多惨的嘴脸，到出事了翻脸不认人！早就跟你讲了，你要是接受不了现实，你就不要开！"

"×你妈！你讲的是人话伐？你这样不要脸的医生我见得也多了！一门心思就知道钱钱钱，一天开多少台手术，拿多少个红包？要钱的时候说得花好稻好，要负责的时候甩得门清，什么都不搭界。你医生开刀，这不负责那不负责，难道要我负责啊！不行，今天这个事，不能这么了了！我要告你们！"

"你告！你随便告！你告到哪我都不怕，收红包收红包，你叫那么大声，好像我收你多少钱一样！你娘做三台手术，我收过你一分钱红包吗？我跟你讲明白了，我这就是意外！"老二和家属都要打起来了。

家属目瞪口呆，对着周围围观的群众说："他说这话你们都听见了啊，你们给我作证。就是因为他没收红包，所以让我妈妈左一刀右一刀，一点人性都没有，比城市马路扒开得还勤！这哪里是医院，这是屠宰场！！"

我吓得将两人分开，请他们冷静。

病患家属到办公室来，气冲冲地说："把病历调出来，我要请专家看一下，我要告你们！"

　　我赶紧给他倒杯水，请他消消气，一面让护士给他调病历。正在这时候，组长来了，问过情况，很温和地说："你这个情况，我们也没想到，我们也感到抱歉。但你听我说，你随便去哪里问好了，这肯定不是事故。事故是说因为疏忽大意造成的。比方讲，人还没上手术台，插管插到食道里，肺里没气憋死了，比方说，本来左脑肿瘤，开刀开到右脑了。这个那是逃不掉的事故。你母亲这个情况吧，只能叫意外。我们没有疏忽的地方，也没有要害她的故意，情况就是不巧怎么办呢？我分析啊，她年纪大了，肠子就比较薄脆，一不小心就容易穿孔。这样吧，你也不要生气，也不要着急，消消气，事情已经到这个程度了。过两天等老太太情况好些，我亲自上台给她做个修补术，也不是什么大手术，很快就好了。医院每天开这么多刀，你要说刀刀成功，那是不可能的，总有不完善的地方，只要我们过后尽力弥补，最终病人是好的，那就可以了，你说呢？"

　　病患家属对老教授还是很客气的，尊重放在脸上："教授啊！不是我们胡闹，很多情况你也晓得的，本来一个不大的手术，现在越搞越糟糕，家里要塌底了，手术费用又不便宜，我们都是吃低保的……"

　　"你的意思我们明白的。这样吧，下一次手术，我想办法从组里或者课题里出钱，不给你们增加经济负担你看怎么样？这个要先说明白，不是说我们承认失误啊！这个是大家都从病患角度出发，为解决问题我们各让一步。你要是不同意，那我们没法做这个手术了。"

　　"这个……"家属勉为其难地答应了。

6月7日

老二说，老大想给南南过一个生日，他怀疑这是南南的最后一个生日了。小姑娘这种状况不可能持续很久的，再找不到肾源，丫头就废了。老大一想到女儿，就眼圈红红。

老二怒得不行，又很无奈。在中国，怎么就这么少的人能够做到我为人人、人人为我呢？每个人都想从锅里舀汤，却不愿意往里头兑肉。

我只能安慰他说，也许文明程度不够发达。如果发达了，思想水平就提高了。他反问我，什么是发达？以什么为衡量？我们的经济不晓得前进了多少步，可我们的精神，不晓得萎靡了多少。要说文明，中国怎么也算文明古国，跟美国这样的才两百年文明的未开化民族相比。可为什么我们就做不到大爱呢？

我反问他，你能做到吗？如果是你的孩子有了意外，在别的孩子有需要的时候，你愿意捐出器官吗？

老二愣住了。想半天，"啪"地给我一巴掌说，你嘴里能不能不喷粪？好好的咒我未来的小孩？

我说，你连谈论都忌讳，何况真实面对呢？我们是一个有忌讳却没信仰的民族。我们出行要查黄历，考试要求签，做生意结婚要取黄道吉日，却没有一个人有信仰寄托。其实，如果每个人都相信一个符号，随便它是神明还是上帝还是真主阿拉，都会让很多意外和痛苦变得坦然得多。情感上，也会博爱。因为，所有的你身边的人，都是你的兄弟姐妹，既然是亲人，最终要生活在一起，就会慷慨很多。我们现在的问题是，你我之间，大家小家之间分辨得太清楚了。

我说，所以，老大要承认这个现实：一旦南南真有什么，他不要觉得是自己无力回天。他本人是医生，应该知道，无论生命多么珍贵，无论这个人对你多么重要，很多事情是天定的，超出我们能够掌控的范围之外。我们不能怪满中国没有大爱的人，只能怨自己的运气不佳。

老二说，因为中国人都这样认命，所以也免去抗争和进步了。很多国外的法案，都是因为一个案例的发生，受害者或者与其有相似背景的人不遗余力地去推动，才有让后来人受益的保证。如果每个人都自认倒霉，那么，文明永远不会进步。我其实希望我们能够组成一个团体，推动国家建立法律法规，让每个人认识到器官捐献利国利民，上升到一种精神鼓励的高度，让更多人有生的可能。

我说，这个问题连美国英国德国法国都没解决，你想让我们如何解决？老二说，可是，新加坡解决了啊！他们国家每个公民生来就是依照法律必须捐赠器官的，只有你特别申明，你才能不捐献，但同时你也不享有在你需要的时候从别人那里受益的权利。新加坡还建立了国家脐带库，给所有的初生公民保留脐带血，因为所有的孩子都是国家的财富。

我笑了，老二有时候也蛮单纯可爱的。新加坡，这个鼻屎大的国家，才多少口人啊？当然每个人都是财富啊！我们中国多少人啊！什么数字放大一万倍，就很可怕了。他原来是个理想主义者，内心掩藏得很好，平时看起来倒是很反叛。

说来说去，还是南南的事情。我们除了空谈别无他法。

南南的生日会，我们能做些什么呢？

老大说，他太太越来越小心谨慎，已经到了杯弓蛇影的程度，坚决不允许带脏带菌的人出现在家里。家里就像无菌病房。他现在已经觉得孩子这样活着是一种痛苦，没有朋友，不能读书，见到的人永远是家里人，这样的苦难，结束也许未尝不是一件好事。他还是希望冒个险，给孩子过最后一个生日，很有可能是最后一个。

我和老二跟美小护一商量，打算为她办一个迪斯尼的生日会，医院的医生们带着自己的孩子，化妆打扮好了，给孩子一个惊喜，注意消毒就行了，这个我们拿手。小护同学让大家报名，每个人扮演一个角色，她负责去购置行头。这一切，我们瞒着老大在进行。

6月9日

同志们啊，千万别要求戏剧源于生活高于生活。

生活本身的戏剧性要远远高于戏剧本身。戏剧太戏剧化了别人说是瞎编的，可生活本身，比瞎编的还恐怖啊！

今天老太动第三次修补手术的刀，这种杀鸡的手术，上的真的是我们的宰牛刀。我不晓得我们的组长有多少日子没有正儿八经地上过手术台了。他就是我们的泰山，他就是我们的秤砣。每天他的工作就是坐镇在手术室里让我们放心大胆地干，有他在后面站着，我们才有把握。

今天一大清早为区区一个肠漏的修补术，他站在手术台上。他不站也得站，人是他收的，当然是在我的鼓动之下。

他笑着说，这老太真能使唤人，组里大大小小的医生，她都用遍了。

我和老大、老二都站在旁边做助手，这种恢弘的气势，如果用一个通俗的比喻，那就是邢质斌李瑞英张宏民全部出席央视新闻联播，连赵老师和李娟这样的都出动了。

组长缝合完以后说："我动用一辈子的修行，运气比你们是好些，你看，你们都有事，我没事。一切都好。"

老二一把捂住组长的嘴说："可不敢说这种话！迷信迷信你不得不信。以前我们一班同学自行车都被偷了，有个家伙笑呵呵地说，我的没被偷。结果第二天就不见了，给了他一记响亮的耳光。好事要偷偷乐。肃静，肃静。这老太妖得很，即有可能立马给你难看。"

组长笑老二的迷信。

同志们啊！这个妖人真的会做法啊！

手术台上很顺利的，那么小的手术，下来以后一天没任何反应，喊也喊不醒，人处于无意识状况。拉去一CT，脑梗！

俺们这个组，彻底栽在这老太手里。无一幸免。

现在，连组长都没法面对这个老太的家长了。这种万一的事情反复发生在一万的身上，我们真是百口莫辩啊！

我一同学在通用工作，他跟我说，丰田公司刹车事件啥问题啊，说白了就是电脑死机。以前都是手动刹车，丰田最新推出电脑刹车系统。你要知道，电子产品没有百分百保险的事情，总有个万分之一，要是可巧那万分之一让你赶上，且在高速公路上……哈里路亚，上帝都不保佑你。所以后面的生产企业都拿丰田的血的教训为经验，弄个双核处理器，万分之一加万分之一的概率，死亡一下就减到几近于零，要是再被你碰上，那就叫天要亡你。

这老太，我这么跟你讲，装了四个CPU，都没避免她的命运，看样子老天真是打算收她了。你们不要打我啊！我一般人类学解释不了的问题，都托词给神学。

我们关在房间里，一句话都说不出来。组长都说不出话来。

最终老二噗哧笑了，笑得前仰后合，他说："这个老太肯定是上天派来惩罚咱们的。我打算把收的红包全部都退回去。"

组长恼怒地说："严肃点。这个时候你都笑得出。"

老二说："苦海无涯，苦中作乐。这就是命吧？现在怎么办呢？"

组长说："除了打官司一条路，再无他路可走。老大啊，你跟他们家属谈谈，让他们告我们去吧！法院怎么判，咱们就怎么赔好了。不然怎么办呢？"

老大闷声不响，回一句："你以为我们让他告他就告了啊？我们就是求他去告我们，估计他都不肯。他后面有智囊团的。我看这次一出这个事，他就直接奔门外找医闹了。有这么多高参，你觉得他们会走法律途径阀？我对未来表示悲观。"

老二说："这老太会挂吗？挂就好了。一笔赔清算数。她要是不挂，一直这样拖着，不是要把我们给拖残废？"

组长说："口中积德。她要是真死了，我们更过不安了。当然希望她有回转的可能。"

"脑梗啊！好多人半身不遂到死的！还有人没有意识，或者植物人到死的！你不要吓我啊！她天天这样在我们眼前晃，还让我怎么工作啊！"

"她哪里还有可能在你眼前晃？她儿子在你眼前晃还差不多。我们的工作和情绪，不要受影响，大家还是要把这个当成工作的一部分来看，要保证自己在手术台上不受影响。无论他们家属怎么闹，我们要当成是工作中的必然。否则今天一闹我们心里一慌，开坏一刀，明天一闹开坏一刀，一个组以后不要工作了。"

我现在已经习惯接受，工作中发生任何事情我都不会表示不可接受，就好像我已经接受了谈恋爱一定苦追，结婚后一定出轨，人一定会生病，生病后一定会老死一样。这些，就是生命的组成部分。

我彻底沦为宿命论者，据说一般都是五十才知天命，天命到那时候就不可违了。而我才不到三十，就已经大智慧。

6 月 11 日

今天一上班,门口就有"医生是有执照的杀人犯"这样的横幅欢迎我。

对于医院门口摆灵台,奏哀乐,交通堵塞之类的,我已经司空见惯了,但这次旗子下面站的人却是老太的儿子,这个让我非常尴尬,感觉满世界的人都在批判我,我是吓得从西门绕一圈进的医院。

当医闹也不容易,起得比咱医生还早,就像当年的周扒皮,其实起得比长工还早一样。大家赚的都是辛苦钱啊!

骨科同学黑人把他一个病患介绍给我,说脑子里有肿瘤,麻烦安排住院手术。来的样子神神秘秘的,一问,说是打算把该病患的女儿发展成自己老婆。既然是朋友的亲人,那是非帮不可的。

黑人带那个姑娘来的时候,真是让我眼前一亮,非常温婉大方的一个姑娘。黑人的春天终于到了,而我的春天还遥遥无期着呢!

6月14日

老太太的家属彻底不出现了。只要一出现，必定剑拔弩张。

而这个老太，时好时坏，好的时候，我感觉自己今天的工作得心应手，心情愉悦，云开日出。坏的时候，我的天空就阴云密布，吃不下睡不着。

我真没想到，我终于出现了恋爱征兆，为一个女人如此疯狂。她的一言一行、一举一动牵动我的心，我对她的情感，复杂透顶。我希望她一切都好，因为自此我不会背负内心的愧疚，又希望她索性就此挂掉，了却我每天为她高高低低起伏的心。

而这个让我魂牵梦萦的女人，是个七十岁的老太。

我真的后悔当初追上她的儿子，把组长的名字塞给她，因为自此以后的局面，完全为她一人左右。

人说，医生开刀，越老越保守。因为吃过亏，被吓到了。只有初生牛犊才不怕虎。

我大约终于在往这个方向上行进。

黑人李刚拉我聊天，且请我吃对面蛮贵的茶餐厅，这对他这样一个为攒钱买婚房都舍不得吃生煎馒头的人来说，是多么地不容易，可见爱情能够使人鬼迷心窍。他跟我神神秘秘地躲在餐厅角落里谈他的心仪对象。

他的故事也蛮传奇的。而医院的另一个代名词，我觉得应该是王菲唱的那首"传奇"。他第一次见到那姑娘是在急救室里，她的妈是一个被不知哪辆车撞成多处骨折几近残废的老妪。

"但是，她最大的毛病，不是在身体。"李刚吊我胃口，"她这里有毛病。"他指指脑袋。

"我知，你不是送她来我们科了吗，不是要开刀吗？头也是身体的一部分。"

"她不是被撞出的毛病。"

"我知，她脑子里长了个瘤子，肯定不是撞出来的。"

"我的意思是，她精神上有问题。我第一次见她，被她吓坏了，大声喊，说她女儿的爸爸强奸了她女儿，还说我要强奸她。害我都不敢上手去按她。精神病人的力道大得吓死人的，非常态。"

我突然就觉得有意思了。

他说，老太的闺女进来的时候，那种气场让他一下就感受到了。镇静到非凡，比专业护士还专业的手法，一下就能制住她母亲，还能配合他做事，配合得天衣无缝。且最后还能非常细致地表达感激，一看就是风浪里长大的，不晓得她娘疯多少年了。

我善意地表达了我的提醒。人在爱情中，总是盲目的，我还是想提醒一下，有个精神病丈母娘，未来的日子会充满刺激，不晓得他准备好没有。

李刚真是被爱情冲昏头脑了，他说，他不怕，爱一个人就是为她分担责任和痛苦，他已经出现悲情英雄审美了，希望自己像希腊神话里的泰坦一样，因爱上了美女敢与天公试比高。性激素真是力量无穷啊！怪不得佛洛伊德说，性本能冲动是人一切心理活动的内在动力。无论他把自己包装得多么纯洁高尚美好，我一眼便知，这是他的荷尔蒙在作怪。荷尔蒙让你爆发无畏的全部勇气。

　　作为朋友，我不太看好他的这段冲动产物。

6 月 15 日

南南的生日到了，我们科里和她岁数相当的孩子的家长，还有几个笑闹熟悉的同事，为她张罗礼物和蛋糕。

我们订了个迪斯尼的立体蛋糕，足有六公斤重，怎么搬运过去，成了大难题。老二借了辆皮卡。

还有一应的行头、道具、玩具、书本、彩灯、彩带、喷射的水枪和礼花等。

东西不怕多，关键在消毒。美小护带着几个小丫头们在忙着一样一样仔细擦洗。丫头们忙的时候，兴高采烈的，一点不知愁滋味。我其实不忍心看，我不晓得大家还有没有下一次了。

我跟老二说："如果，如果这之后，南南有个什么，你会不会后悔？"

老二说："巴金百岁生日的时候曾说：'我是为别人活着，长寿是对我的一种惩罚。'我特别理解他的心。我不愿意南南为那些希望她存在的人而活着。如果，如果，真的如果了，我宁愿她笑着离去，而不是在痛苦中哭泣。她的痛苦，一部分来自于病痛，而这个，她自己已经坦然受之了，她不能忍受的是，除了病痛之外，她的孤独、等待和隔离。与大家幸福地在一起，这是我送给她的生日大礼。就这样吧！不改了。"

周六一大早，我们就过去布置老大的家。我们到的时候，老大那个惊讶！南南躺在床上，乐呵呵地看我们爬上爬下折腾。

到中午时分，小朋友们都来了，大家穿着各式头套在屋子里上蹿下跳。南南高兴坏了。嫂子既感激，又害怕南南太疯，伤体力。老大有时候就扛着南南跟我们笑闹。

我们拍了很多照，还有录像。

我拍的时候，心里隐隐感觉不好，也许这个将成南南最后的纪念，不敢多想。但我愿意，看见嫂子的笑中带泪。

我真想把我的日记变成电影，因为比电影好看多了。故事总有意料不到的结局。

正在我们笑闹的时候，五院的医生冲进来大喊："你快去！有个女孩！跟你们南南一样大！刚被公车轧过！可能要不行了！"

老大放下南南，冲出门去。

不一会儿，嫂子把孩子交给美小护，她也跟过去看看。

宴会原本在这个时候也该散了。

我们切那个六公斤重的大蛋糕。

南南却说："我要等爸爸妈妈。"

我们拿着刀，不知该切还是该放。

我说："我去看看。"老二说，我跟你一道。

在医院急救室门前，我看见，嫂子紧紧攥住女孩子母亲的手，安慰着她，搂着她。那个女孩子的妈妈显然已经失去了主张。

那一边大约是肇事的司机。司机也是一脸紧张。

老二敲开门问："怎么样？"

医生答："肯定不行了，没脑电波了。现在没拔管是在等孩子的父亲到。他在外地出差，应该快回了。"

老二踌躇着说："那个……家属……我们是一院神外的……我的同事……"

"我知道。他的故事多有名啊！报纸上都登过相关的报道。所以这里一有事情，我们就赶紧去叫他。不过，我觉得吧，大家都别抱太大希望。你们也晓得，一般的家庭，谁能承受得了这个啊！99.99%的人都会拒绝。唉，都是父母，都疼啊！"

"那现在？"

"我们刚才要去跟小孩的妈妈商量，被你们那个医生阻止了。他不同意。他认为在这个时候跟人家说这样的话题，太残忍。你没有看到，小孩整个……"

老二："那也不能不说啊！不说不是就一点机会都没了？"

"你也知道，这种事情，是可遇不可求的。现在这种场景，人家小孩奶奶都已经拉到急救中心去了，心梗了，妈妈要昏倒了，你去跟人家说要小孩的肾脏，好像不太好张口啊！"

老二走进手术室，看着那个小姑娘，眼神里有太多的不舍得。也不晓得是不舍得这个漂亮小丫头的生命，还是那个要浪费的肾。我想，二者皆有。

"不过你也别放弃希望，小孩爸爸还没到。也许还有转机呢！"

嫂子大约这种情况经历多了，亦或许是越来越清晰地看到南南的未来。

迟早有一天，她的女儿也会这样静静地躺着。她也会像这些母亲一样感觉生命丢失了一半。

从最初，嫂子跪地磕头捣蒜般求那些孩子的家长行行好，到现在，她已经可以变成这些家长的支柱，搀扶着他们度过最艰难的时光。

嫂子搂着那个家长，轻轻地晃，轻轻地晃，一句话都不说。倒是那个家长，絮絮叨叨地从孩子在肚子里的艰难开始，一个月一个月地回顾孩子的成长。

家长说："我活着，还有什么意思？让我和孩子一起去吧！"

嫂子搂着那个女人轻轻说："你要相信，你的女儿在天堂里会过得很好。她虽然离开爸爸妈妈了，可她在那里有很多小伙伴，她们一起做游戏，一起唱歌。她们也有人疼爱。天堂的爱一点不比地上少。"

"不是你的小孩，你才会这样讲！我就要我的萍萍！你根本不晓得她对我意味着什么！"

嫂子眼泪唰地就下来了："我知道。我太知道了。可我们不能因为孩子走了，就把自己的日子给掐断了。我们上面有老人，身边有爱人，还有朋友，亲人……如果能这样就走了，我早走了，不用忍受这种煎熬。你要相信我，再大的痛，过去就好了。你要相信我。"

我都听不下去。

妇女又开始絮叨她闺女的生平，虽然只有短短六年多。说到激愤处，冲上前去要厮打那个司机。被司机单位的人和周围的人生生劝开。

老大对司机说："你还是回去吧！你在这里站着，一点都不能弥补你的错，还刺激她。她现在经不起刺激。"

司机还申辩："那个小孩是……是她自己突然蹿到我车头前的，我来不及刹车了！"

周围激起民愤一片："你到这时候了还要说这样丧良心的话！你是为了赶那个红灯，加速过马路的！何必就抢那一两分钟呢！"

司机还在狡辩："我过去的时候是黄灯啊！他们家长不把小孩看好。过马路哪有不拽着手的？"

老大怒了，一把揪起司机的领口说："你还是不是人！你连一点忏悔的心，羞耻的心都没有！那里面躺的是一个六岁的孩子！你不要逼我打你！"

周围一片"欠揍"的呼声。

司机的领导忙不迭道歉，且拉他走人。

那一厢，女孩的妈妈哭得极其凄凉。

小孩的爸爸满头大汗地赶到，说："孩子伤得怎么样了？我听说被轧着腿了？"

全场一片肃静，无比同情的眼光撒向这个年轻的男人。

他看着大家无言的悲哀，人如触电般惊立，只一瞬间，他的腿就软了，哧溜顺地倒下。汗顺着脸颊往下淌，瞬间面色惨白。我见过的生离死别多了去了，我不晓得为什么对这个男人特别怜悯，可能是因为，我很害怕不久的将来，有一天，老大也是这样的情形。

我和老二赶紧上前，将他架起，老二带他去见小孩最后一面。

小孩的爸爸被我们架着走到床前，他捂着眼，硬是不敢看。离床还有几步的时候，竟然想回身逃走，他笑得极其难看，说："这个……这个……不是真的。我女儿还在上钢琴课。"

我一看到他这个情况，就知道完蛋了。

这时候，你跟他讲要他女儿的器官去拯救别的小孩，他脑子跟不上趟。思维完全混乱。

真的站到床前，这个父亲平静下来，他用手替女儿理一理头发，帮她擦了擦脸蛋，眼泪一滴一滴滑落在女儿身上。

他终于说："拔管吧！"非常平静。

五院的医生艰难地说："呃，是这样。我们这里有一个小女孩，肾衰竭，她等肾源很久了。我们希望，能够用你女儿的肾，去挽救另一个女孩。我们……"

全场期待地看着他。

这个父亲突然问："这个女孩子叫什么名字？是不是南南？我在电视上看过她。"

我们连忙点头。老二说："我们是南南爸爸的同事，南南爸爸和妈妈在外面陪伴你的爱人。是我们为他们请求的。其实他们俩已经不抱希望了。今天是南南六周岁生日，我们希望，这是她能得到的最好礼物。当然……如果不行，我们也……"

这个男人目光异常清醒，他坚定地说："可以。"

我站在他身旁，如电过击，激动得浑身麻木，我怀疑我耳朵有问题了。

老二也不可置信："这个……你是说……可以，对吗？"

男人平静地说："可以，如果能够帮助到她的话。我替萍萍做的决定。好人要有好报。"

我狂奔出去，站在老大和嫂子面前，我已然不知我的泪在到处飞，我说："可以！爸爸说可以！"

老大也触电般站在那里。嫂子已经傻掉了。

萍萍的爸爸走到手术室外，坐到萍萍妈身边，轻声说："我去看过女儿了，睡得很安稳。你放心，一切都很好。另外，我想跟你商量一件事……我已经做主了，请你也同意。"

萍萍的妈妈止住泪，看着嫂子，问："你怎么不早点跟我说？"

嫂子说："我说不出口。而且，我其实已经放弃希望了。所以我跟你说，萍萍在天上会有小朋友做伴的。"

"那你还不快去接孩子？你还站着干什么？"那个妈妈居然抱怨。

我们恍然大悟，老二飞奔出医院大门。

要相信，奇迹在下一秒，一定会发生！

你要相信！

FAITH，HOPE，LOVE。这是世间最重要的三样东西。缺一不可。

6 月 19 日

　　我的主任说，人活着要有两个主义——理想主义和乐观主义。如果没了这两个主义，人生会变得暗无天日，活得如行尸走肉。

　　以前我们对这两个主义的调侃式总结就是：黑夜给了我黑色的眼睛，我要用它去寻找光明。

　　我们经常讨论人之初性本善还是性本恶。我在幼年时期被教育成人之初性本善，等步入社会以后才发现这原来是美好的期许。

　　你如果在公车上被偷掉所有的卡，包括乘车卡，孤立无援而没有人帮你指证小偷的时候，你不会相信人之初性本善。

　　你过马路的时候明明是绿灯，从你身边轧着雨天的水花急速闪过的汽车让你不相信人之初性本善。

　　你在网上购物，一面害怕自己的钱被骗，一面担心收到的货不对版的张皇让你怀疑人之初性本善。

　　你在收款的时候靠着各种仪器包括手指触觉检测钞票的真伪的时候，你不相信人之初性本善。

　　你面对病人挑剔的问题和防备你的眼神的时候，你不相信人之初性本善。

拆迁房屋的时候，你与拆迁机构讨价还价，说不定要拉横幅、要断水断电的时候，双方都不相信对方性本善。

你生活在社会上的每一天、每一时辰、每一秒，没有安全感，没有信赖感，报纸上漫天的负面报道，让你觉得人哪里有善念。

也许偶尔有善飘过，只有你在庙宇里，在神明面前，你才寄希望有善出现。

可生命就是那样的奇妙，在某一刻中发生了水波的折射，就那么一个小小的转折点，改变了你的人生观。

上次电视台非要歌颂式采访的表现，让我对 CCTV 或者所有的 TV 都抱观赏心态。就好像你去欣赏一幅风景画，欣赏一个盆栽植物，它与你的现实生活是不相干的。有人精辟总结过新闻联播：前十分钟国家领导人很忙，中间十分钟全国人民很幸福，后十分钟世界人民生活在水深火热中。

翻遍报纸，能让我不头疼、博我一笑的，只能是娱乐版面。

直到萍萍的爸爸说"是不是南南？我在电视上看过她"的时候，哦，我才知道，我总在用我的眼睛去寻找黑暗，而忽略了我一直活在光明之下。

我们过分夸大了现实的弱点，却将优点无意中淡化。

我们忘记了理想主义和乐观主义。

所以，我们不愉快。

另一个改变我的水波折射的人，居然是孤美人。

她以最快的速度返回岗位，完全像正常人一样工作。这个给我们的惊骇是不小的。因为在以往的岁月里，我们最常听到的抱怨就是："我实在是讨厌上班。我一看到黑压压的人头就烦。"她第一天回来上班，距离她开刀只有一个月。我听到这个消息的时候，真以为她想钱想疯了。

那天我看到温婉如玉、笑靥如花的孤美人，真是感觉上天彻头彻尾给她换了个包装。以前的蓝色冷包装改成现在绽放的粉红色，连穿的衣服，都透着温暖。虽然罩着白大褂，可领间漾出一抹惊艳的红来。那是她手术的疤痕。

我由衷地夸赞她："孤美人啊，你现在怎么看起来反而比过去气色好了。整个人精神焕发。"

孤美人笑着一边洗手，一边说："因为我重新活过了啊！你们谁都没有我这样的运气，一辈子有两个人生。没有在死亡线上挣扎过的人，是永远不会理解重生的畅快的。"

她擦干净手，将手放在嘴边呵着热气变暖，然后用手轻轻按病患的伤口："疼吗？有点疼吧？不过，这个疼是好的疼哦！跟你以前的那种生病的疼是不一样的，对吧？"病患很高兴地说："对的！这个是硬伤，我知道很快会好的。以前那个头疼谁受得了？"

孤美人用棉签粘着水，一点一点软化纱布，软一些，揭一点，异常温柔。她说："你耐心点哦！我慢慢揭，因为我揭快的话，我怕你结疤的伤口血飙出来。我以前干过这样的蠢事的。呵呵。"

病人非常感激地说："嗯，医生做的都是经验的科学。以前出过的差错为后面的病患纠正。"

孤美人笑了，非常甜美。她笑起来真好看："我们要尽量少犯错，因为这是血的代价。"她轻巧地最后揭下那块带着血丝的纱布，满意地欣赏病患的脑袋说："真棒，水肿很快就会消的！你很幸运的，只是二期而已。我甲状腺癌三期，都恢复得很好。你要有信心哦！"

病患惊得目瞪口呆："啊！医生！一点都看不出哦！你看起来又健

康又漂亮！我都不相信你是专家！我刚才还在想，哪里有这么年轻的专家门诊，医院又是骗钱的～！"

孤美人哈哈大笑："谢谢你的恭维！我太高兴了！我小孩都要上中学了！我天生长相年轻怎么办呢！不过我很快就会老的。以前他们说我年轻是因为没有表情。现在我表情比较多，很快就有皱纹了，很快就像专家了。"

我认识孤美人这么多年，就没有看到她如此舒畅地笑过。我喜欢劫后重生、凤凰涅槃后的美丽。

6 月 25 日

我再次遇见孤美人时，由衷地赞叹她："你生一场病，像换了一个人！生病居然有这样的 BENEFIT！"

孤美人摘下口罩说："你不到绝处逢生，你不能了解生命的意义。在我健康的时候，我体会不到健康的价值，也体会不到病人的痛苦。你只有躺在床上不能动弹，需要别人照顾，看着窗外的鸟在飞，花在开，小孩在歌唱的时候，你才知道你失去的是什么。人，千万不要轻飘飘地去说一些站着说话不腰疼的事。比方说，天天这里挤得像菜市场，都涌到三甲医院来干什么？不会去地段医院啊！每天怎么这么多常识性问题都不懂？不懂不会查清楚了再来问吗？天天防医生像防贼一样，要是不相信我们你们别来啊！这些话，你只会在自己做医生的时候，居高临下这样讲。等你真的生病的时候，你多希望自己碰到的是全世界最好的大夫，你多希望他手到病除，你多希望他对你再耐心些，再仔细些，因为你真的是他的上帝啊！"

"啊哟！你自己生个病，就把自己架到上帝的位置上了。"

"因为你们没像我这样病过啊！你晓得化疗以后有多难受吧？你晓

得被人呼来唤去和等得头发都掉的心情有多挖塞吧？还有，你一到要去见医生、听结果的时候心情有多复杂吧？我跟你讲喏，一个病人，尤其是癌症病人，他生存期的长短，和他的心情，家人的关怀照顾，医院的关心程度，绝对有关的！我现在鬼门关闯过一遭了。我想通了。对人好一点，就是对己好一点。与人为善就是与己为善。把别人对你的好回馈给人家，活着要做一个感恩的人，不要做一个抱怨的人。谁知道我的命，还有多长呢？"她摘下帽子，让我看她隐约见头皮的头发。

我立刻不忍心，跟她说："你现在还在非常时期，多休息，少活动，这个工作量你承受不起。"

她说了一句老二前不久刚跟我说过的类似的话："如果我只有一天的生命，我愿意活在快乐里。我现在真正觉得，选择医生职业，是我一生比选择丈夫还英明的决定。"

我把孤美人的话告诉老二的时候，美小护说："啊哟，她这种思想境界，非大病一场不能达到啊！我还是不要到这样的境界比较好。"

老二说："真是她发自内心的感慨啊！不到她那样的情形都不会有这样的想法。我不骗你的，你换个角度去对待人家，换个角度去看世界，是完全两样的景象。不信你试一下。"

美小护答他："我又没病，突然就换个角度对人，大家会不会吓着啊！"

更搞笑的是，孤美人回来上班没两天，由从前的被投诉第一，变成了被表扬之最！上天点醒人的方式，实在是有点辛辣。

6 月 29 日

美小护又打趣老二,见面的时候跟他说:"你看到最新的报道了吧?"

老二:"什么?"

美小护:"洁身自好啊!洁身自好啊!江苏某医院有个医生婚检检查出艾滋病毒,怀疑是跟医药代表一夜情造成的,后来那个医疗系统一查,最少查出四五个这样的病!搞了半天他们都是亲戚啊!"

老二生气了:"你每天怎么像八卦消息发源地?什么惊悚奇文都从你口里出来。你想说明啥?"

美小护嬉皮笑脸地说:"我想说,你最近是不是经常感冒?还有啊!是不是经常疲劳?"

"你胡说八道啥?我早就改邪归正了。再说了,人帅难免被惦记。"

老大这一向被女儿给栓住了。组里老二是常务理事。

他下午跟我说,去门诊的时候,看见一个大爷领着一个十六七的英俊男孩在住院登记的门口磨叽。不认识人,没有床位,没有任何办法,却不走,两个人看起来又老实又可怜,他于是又发了善心一次。

我提醒他,这里的老太还没解决呢,你那边又滋事,已经说好过的,不认识的人不接。

老二笑说，我发慈悲是有原因的，他们的对话很有趣。预约处告诉他们要排队，他问多久，预约处说不知道，他问预约处说，下个礼拜家里要收苞谷了，你看我是先回去收，还是怎的？我当时就觉得这老头好玩。

我说，预约处怎么答他。

"显然跟他说一时半会等不到，先去收苞谷吧！还问他家里的苞谷多少钱一斤，你知道吧，我们超市里卖的玉米，二十块钱两根的那种，他们那里一百斤才二十块，差距太大了。我蛮同情他的。"

"所以你就收他了？就为两根玉米？"

老二说：不是的，后面更搞笑，他问下次过来的时间，预约处又说不知道，让他留手机号。他愣了，说："什么鸡？"现在还有不知手机是什么的人，你相信吗？中国手机用户已经是世界第一位了，还有人不知道手机！而且也没电话，说留个地址，让预约处写信通知他，预约处都要昏倒了，让他去找人找关系通融一下，老汉还问，找谁？你没见柜台里那个护士的表情哦，都快崩溃了！"我哪知道你找谁呀？！叫你住分院你又没钱，找人你又不知道找谁，等，又没电话。你这样的还看什么病啊！"我当时就被她这句话给气到了，遂决定侠义肝胆一把，临时认了个叔。我也跟他的主刀大夫孙医生讲过了，让他把这个没什么油水的人转给我，我给他开，想法子嘛，组里出一点，大家出一点，他个人出一点，三个一工程哈！

"我以为做善事只有老大才干，你最近在顶班过程中，好像连老大的脾性都顶了。"我夸他一句。

"哦！老大的事，给我很大的触动啊！人要做好事，不要做坏事，行善积德。我打算多积点德，关键时候救自己一命。"

"哦？连你都信命了？"

"呵呵。这老头，特老实。你一看就知道了。山里来的，不懂人情世故。坏人偶尔也会善心大发。对了，他的案子很特殊，这也是孙医生愿意推给我的原因。家族遗传，他们族里，几乎每一辈都有几个人同样地死去。可惜以前的病例没搜集。这老头还是有些眼界的。那么穷，还把他儿子带出来看病，到大上海。他一辈子，出的门最远就是到他们的集上。要是不治好，我真是对不起人家。他就一个儿子，独根苗，所以也是豁出去了。我跟他讲一个手术要三万多，他真是毫不犹豫就掏钱包。我看里面的分角和零钱，心里挺难受的，他一辈子可能都攒不出这么多钱，还要背债。"

说起来都是乡下。浙江乡下和内地乡下，差别还是很大的。这边浙江的农村来的病人，都有医保。经济基础决定上层建筑。浙江本地企业多，他们自己弄的医保体系。想来投生也是有讲究的，即使做农民，也要争取做江浙沪的农民。

7月1日

　　李刚同学发神经。原来神经病也可以传染的。他今天找到我，竟然又苦恼地咨询：一个性格好、样貌好、学历好、工作好、收入好的女子，为什么这么大年纪不谈恋爱呢？一副拒人千里之外的样子，很难接近。

　　我说，你既然说她性格好，就是好接近了，她拒人千里之外，怎么叫性格好呢？

　　他答，很随和，很能理解包容所有的事物，能聊，不矫情不造作好相处。但对自己的事情很包裹，不太谈，她只跟你谈社会现象，什么富士康啦，谷歌啦，全球气候变暖啦，生化工程都能跟你谈，但就不谈感情，我怎么样才能跟她从聊友上升到爱情呢？

　　我跟他说，不要太心急。要理解，爱情的基础，最重要的就是下面那个友。朋友做稳了，再谈感情。她这样的姑娘，也并非十全十美，有那个娘背着，就吓退一干追求者。

　　李刚瞬间就跟我急了："生病怎么是一种错误呢？谁不生病啊？妈妈病了怎么能怪到她身上呢？这太不公平了！"

　　得，你跟我急什么呀！爱看样子还真说不清的。爱也是一种病，叫相思病。我看这次挺靠谱的。都把他身体里的小宇宙、精神世界的舍我其谁焕发出来了。

姑娘的妈好像骨折没恢复好，怕她有各种并发症，又跟我们科纠缠不清。我不建议她现在开刀，让她先修养好了。而且跟姑娘说，你娘骨头还是有问题，她就会继续在李刚那里泡着。

我跟姑娘说她娘骨头不好的时候，她的确蛮善解人意的，自己笑着说："她又怕疼又怕死，又不肯动，又耍赖，说什么都听不进去，要是能好，才怪。上天是公平的。腿残废就残废了吧，对我未尝不是件好事，至少不用整天担心她走丢了。"

我突然就知道李刚为什么喜欢这个姑娘了，特别会宽慰自己，理解他人，没有压力感。要是每个病患都这样，我也愿意把每个都娶回家供着。我指适龄女青年，不是七十多开 N 刀的。

7月2日

早上看到老二收的那个陕西男孩，一愣。非常清秀俊美的脸庞。再看看他爹，脸像被黄土高坡的泥浆冲刷过一样沟壑千条且粗糙，看起来很像张艺谋的兄弟。张艺谋是陕西的吧？

小男孩很羞涩的样子，你问一句他答一句，但说话的陕西口音实在是好听。我都忍不住跟他学。临床的本地大妈问他："你喜欢不喜欢大上海呀？"

他说："不喜欢。"

大妈奇怪地问："我们这里有什么不好？那么多高楼，那么多商店，那么多漂亮女孩？"

小男孩居然说："高楼商店，都让人紧张，喘不上气儿。这女的不漂亮，瘦得跟柴火棍一样，感觉不经碰，一碰就倒。我还是喜欢我们家乡，天煞蓝煞蓝的，地界很广。"

大妈逗他："那你们那的女子肯定经碰，壮实。"

小伙子不好意思地笑。

美小护走过来捅捅我，低声跟我说："你问问他叫啥名儿？"

我问他："你叫啥名字？"

"我叫赖月金。"

全场笑倒。

大妈说，回回他说他名字，是人都笑。

我憋住笑问他："你是大男人，怎么起这个名儿啊？"

"因为我爹希望我日进斗金。"

"那你怎么不叫赖日金呢？"

"我爷爷说，日是脏字，不能进名儿。"

我们已经笑得不行了，我差点没趴在地上。我逗他："那人家金日成主席，名字里也有日啊！"

结果月金的爹闷闷地来一句："人家都国家主席了，想日谁不行啊？"

我和美小护是笑得连滚带爬狼狈不堪地逃出了病房。我们都速速跑去找老二，告诉他招了对活宝父子。

老二听完，一本正经地说："招病人，也要看眼缘的。这对父子，我看第一眼就激起了我内心油然而生的好感。你不觉得现在很难看到这样朴实的人了吗？整天的跟病人勾心斗角，跟领导勾心斗角的，我都怕了。一看到他们，我就感受到陕北黄土高坡吹来的清新的风了。"

美小护隔日跟老二说："你那清新的风，每天就睡在医院急诊室的椅子上。估计是住不起店。"

老二说："那怎么办呢？这样的病患我们见的又不是一个两个。你难道让我为他安排住宿？"

美小护："我以为好人做到底，送佛送到西的。不然叫什么行善积德？"

"那我索性把你这个城市里的壮实女子送给他做老婆好了，不是更善？"

美小护笑着打了老二一巴掌走人。

我去病房的时候，看到美小护把自己的饭给大爷，说："我要减肥，你替我吃了吧！"

大爷说："瞎说。女子，你看起来正合适，减啥呀！你一定要吃饭，不吃饭做不动活。"

美小护说："你就不要跟我客气了。我又不住黄土高坡，我在这个城市里，要是肉多过二两，就没人要了。"

到傍晚的时候，美小护神秘地跑来说："我告诉你一个你根本想不到的事情！那个小男孩的嗓子，比阿宝还要好听！真正的原生态！"

她拉着我去听小男孩唱歌。

羊肚子儿那个手巾，三呀三道道蓝

我的那个二妹子儿，真呀真好看

你把你的哥哥心搅乱

山丹丹那个花儿呀，就呀就地开

你有什么心事呀，你就说出来

你呀你不开口我心明白，哎嗨嗨

一碗碗个谷子两碗碗米

面对面睡觉还呀么还想你

只要和那妹妹搭对对

铡刀剁头也不呀后悔

那个声音，悠扬到似乎看见满屋子百鹊在飞。

美小护从身后掏出一大盒巧克力和小点心的袋子，说：“送给你的犒赏！你替我扫光这些卡路里，我要你唱歌给我听。”

　　月金腼腆地笑着说：“姐，你要听我唱，我就唱，不用给犒赏的。”

　　“那不行，你开刀前，吃得壮壮的，好有体力对抗疾病。你放心，你的主刀医生是我们这的开刀天才，在他手上，你包好。”

7月7日

　　我和李刚的关系，前所未有地接近了。和一个人成为密友的方式，就是在他热恋期间分担他所有的痛苦或忧伤。热恋的人要是不倾诉，会山洪或者火山暴发，摧毁力极大。而我恰巧是那个不幸的人的原因是，他热恋的对象的妈未来会落到我手上。

　　我因此而吃了他好几顿饭了。我其实善意地提醒过他，有鉴于现在根本负担不起的房价，他更应该节衣缩食，而不是浪费在请我吃饭上。而他则恶狠狠地说，反正横竖都买不起了，先今朝有酒今朝醉吧！

　　我发现目标这个东西，一定不能定得不切实际。如果是你努力蹦一下会达到的程度，你会没事就练蹦跳。可一旦到了你觉得坐火箭都追不上的程度，你就开始做颓废状了。其实高房价有利于扩大内需，因为以前准备攒下来买房子的钱，现在都拿出来海吃胡花了。

　　他说，霍小玉，那个姑娘，上周末请他吃饭，表示感谢，他觉得姑娘对他有意思。他列举了很多在我看来简直不值一提的小事，以证明姑娘对他有暗示，而我不得不打击他的积极性。诸如人家对他撩头发了，人家对他眨眼睛了。我跟他说，正常人一分钟要眨眼十五次，这是基本常识。而他则坚持，如果连续把一分钟眨眼的次数都用光了，这就证明……

我答他，证明她眼睛里进沙子或睫毛了。

李刚对我的冷峻表示悲愤。但他心意已决，他觉得，哪怕那个老太说的是真的，都不影响他攻克下霍小玉的决心。

我好奇地问，老太说什么了？李刚答：她就会说一句话，就是霍小玉的爹强奸了霍小玉。

我大惊，跟他说，精神病人的话你都当真，只能证明恋爱的人与精神病人之间，只有一线的距离。

而他坚持地说，我有预感，有可能。但即使如此，我也不在乎。

他说，他要抓住机会，打算回请霍小玉一顿，就在本周末，问我如何。我鼓励阿米尔，上吧！因他要是能够保持这种激情状态，我会有很多饭局吃。

7月10日

　　今天心情恶劣，看到小蕾了。她挺着一个傲人的大肚子，坐在一辆玛莎拉蒂里被一个猪头三扶出来。

　　我以为我早就将她放在心灵里尘封了。可那一刻，我苦水都要出来了，她冲我微笑的时候，我竟然慌忙走掉。

7月12日

月金在手术台上。

他这个瘤子，最大的问题是增强的核磁共振看到的景象和实际还是有很大差距的。脑颅一打开，发现根基长得很深。他这个病是家族病，在几十年前，估计这种手术的死亡率是百分之百。所以族里的人基本上都是任其长到最后影响到神经中枢功能区，然后生命结束。最近几年，族里的病患也走出山里医治，估计最多到了省城，也给打发回去，不好开。

为他这个手术，组里开了三次会讨论方案。最终打开一看，还是在预料之外，比预想的艰难。组长站在身后，老二在组长的指导下显微作业。

在最后的鞍区，老二有些犹豫。因为一旦碰得不好，这个孩子就终身瘫痪了，这可能还是最乐观的景象。组长说："你绕到后面下刀看看？"

老二调整一下显微镜，答："不行。和动脉纠缠在一起，确切地说，不是纠缠，是长在一条根上。不然就留个尾巴？"

"这个尾巴不能留的。留着是祸害，没两年就又长出来。你看他家里能承受三两年一刀伐？"

"要不然你来？"

"我来也可以。但我最近怎么觉得自己眼花。经常看一会就要眨眨眼。这样吧，还是你来，我替你看着。对，对，就这里下刀。你不要怕，先剪三分之一看看，出不出血。"

老二轻轻剪下去。

"糟糕！"老二叫着。

"不要着急不要着急。护士把血包接上。找到出血点，止住。"

"止不住！"

"你不要怕，有我在这里替你看着，你慢慢找。血流就让它流好了，只要下面输着血，上面只管喷。"

"找到了。"

"封上。"

"封上了。"

"继续剥。"

"再崩怎么办？"

"凉拌呀！你放心，我血包调来好多，不怕，你剪。原则是伤动脉不伤神经。他这么年轻，流点血怕什么？"

历经十个小时，终于将月金的脑瘤剥除得干干净净，他被推出手术室。

组长精神矍铄，连呼过瘾。这样深的瘤子，太考验技巧和耐心了。

老二下手术台的时候，人都要虚脱了。他的手套都是美小护替他摘的。小护问他："你不要紧吧？我还是搀你出去吧！我们今天血包用完了，等下你要是摔出个大出血，没法救你了。"

老二作势顺势就躺在美小护的身上。

7 月 14 日

月金在监护室里呆了整整二十四小时都昏迷不醒。我们很担心，但考虑到他失血这么多，可能也是以睡眠的方式在修复。

一天过后，月金终于有意识了，我们将他送入病房。但意识不是太好，大部分时间昏睡。我们让他爹密切观察，有事就按铃。

护士说，他爹很认真，一分钟都没睡过，经常按铃，总有问题。因为曾被月金的歌声贿赂过，护士们都表现得超耐心，尤其是未婚的英俊的有才的高干子弟的老二的VIP，对她们来说，是最好的表现机会。但这个新来的小护士好像很拎不清的样子，一脸的不愉快，见谁都像人家欠她钱。我感觉，这样的姑娘，幸福指数很低，不像孤美人那样生一场大病，都不晓得什么叫情感。阿弥陀佛，得罪得罪了。

今天我去查房的时候，赖月金还迷迷糊糊地睡着，但喊他的时候是有意识的，嘱咐月金他爹，到晚上十点还迷糊的话，就来叫我们。

下午三点，老二开完手术就直奔月金那里。小伙子恢复得出奇的好，意识清醒，问他手术前的事情，全部记得。说话有点大舌头，等麻醉完全过去以后就好了。老二笑眯眯地拍拍他的脸说："再过几天，你就能唱歌了。我还没听过你唱信天游呢，他们都夸你唱得能上星光大道。"
月金羞涩地笑笑。他的那个羞涩的笑，是他的招牌。

我突然发现他笑的时候嘴是歪的。

我指给老二看。

老二摸了摸他的脸蛋，说："有感觉吗？"

月金说："一边有，一边没有。"

"会不会是面瘫？"我轻声跟老二嘀咕。

老二神色有些紧张。继续摸了摸说："一点感觉都没有吗？"

月金答："有蚂蚁爬？一点点。"

老二笑笑，说："我跟你说个不好的消息，过两天我们再检查一下，你这半个脸要是瘫了怎么办？"

月金依旧羞涩地笑着说："会不会影响我泡妞啊！"

全场又笑起来。美小护在一旁接口："我以专业女性的眼光告诉你，你的嗓子就足够泡妞了，脸蛋是装饰品，绝对不影响。"

月金的爹说："活动啥的影响不？会瘫痪不？"

老二让月金动了动胳膊，动了动腿，说："一切正常。我现在就担心他这半个脸，道理上说没有碰到面神经，希望过两天会好起来。万一要是不好，最严重的结果也就是半个面瘫。如果是这样，你们能接受不？"

月金爹问："这面瘫，能活过四十岁不？"

老二笑了："别说四十啊，八十都行，我不保证他不得别的病啊！这个不是大影响，你放心。"

老头一摆手，嗨了一声："只要瘤子拿干净，人能干活，半个脸算啥呀！你把他弄这样，我就很感谢你了！他是我的独苗，只要是活着，活得比我长，我就满意了！"

老二说："这个您放心。他肯定会给您养老送终的。他不孝顺，那您可不能找我啊！我只负责他身体这部分。这个刀，总体来说，开得很成功。要是没有面瘫，就更圆满了。"

"俺已经太满意了，医生。你是大好人！要是没有你，我儿那就是死路一条。他要是活过四十，那就是我们这个族里第一个得这个病治好的。全拜你救命啊！"老汉眼泪都要出来了，双手作着揖。

老二冲老汉摆摆手说："您不要谢我。您要谢科技。这个病，在过去就是不治的。现在能治，也是因为设备先进了，我们有很多辅助探查的工具，再加上以前积累的经验。以前这种病，上手术台，上一个死一个啊！科技发展了，我们也活得长寿了。休息吧！好好休息。月金啊！哎哟，我怎么每次喊你名字都这么别扭。你好好休息，我明天再来看你。"

7 月 17 日

今天终于得老大的允许，我和老二、美小护还有宝珍代表全科去看南南。

南南的手术刚开始并不太成功，有排异，老大和嫂子特别难捱，我们尽量不给他们添乱。术后都一个多月了，现在南南的情况越来越好了，非常稳定，终于盼来了看看这个小精灵的日子。

健康对人何其重要！以前那个小姑娘每次见都是病快快的，脸色蜡黄加灰白色，也就刚稳定没几天，已经面色红扑扑了，神气活现，在家里上蹿下跳，大约从未享受过如此的自由活动。

小姑娘不停地唧唧呱呱："我很快就要去学校了！我爸爸说我可以去上学了！我要和小朋友一起玩了！"

宝珍大笑说："在你心目里上学原来就是去玩啊！到时候你会失望的。"

小姑娘很天真地跟我们说，她的后背上有一条粉红色的刀疤，她爸爸说那是天使挂在她身上的项链。美小护翻开看看，跟她说："我告诉你，你这个是玫瑰花枝，等长大了在这里纹一朵玫瑰花，要多漂亮有多漂亮，

246

我都羡慕你了！"

　　我发现老二现在看美小护的眼光有点不一样，可能是因为她跟孩子在一起的样子，显得很可爱。美小护天然就可以跟孩子玩得很好，所以宝珍的小孩才肯跟她去演戏，管她喊妈喊得无比亲切。

7 月 19 日

年轻人恢复真快！到第三天的时候，月金都已经半靠起来了。任何时候我们看到他，他都是笑眯眯的。脸似乎还是没有知觉，看样子面瘫是避免不了的了。

老二心里依旧觉得不舒服，几次跟我说，老头也就算了，小孩子，还没结婚，相貌还是很重要的。我宽慰他："相貌再重要，还能有命重要吗？你不要对自己的手术要求提太高。"

正说着话，老二手机响，我听他说："插管！我马上到！"转头对我说："月金突然窒息了，我过去看看！"边说边奔了出去。

我想了想，也跟着奔出去。

老二站在病房里对护士喊："快给他插管，快给他插！"

护士说："不行。要家属签字，不然谁负责？"

老二喊："我负责我负责！你插呀！"

护士依旧坚持："不行。我们领导讲的，没有家属签字坚决不做任何措施。不然讲不清。"

老二急了，一面按月金的胸一面大喊："月金爸爸呢？！护士长呢！！！"

邻床的人说："哎呀！他家老头子从不出门的！就是刚才小伙子跟他爸爸说他自己一个人可以了，让他爸爸去给他妈发个电报，说自己手术很好，老头才出去的。这可怎么好！！！"

月金的脸已经变成猪肝紫。

美小护一路狂奔过来，到了床前，一把推开护士，麻利地将管子松开，撬开月金的嘴，将管子硬是插进月金的喉咙，打开机器。

"送 ICU！"

我们的心都悬在嗓子口。

美小护吩咐："把监视器拿来。

监视器接上后，心跳趋于零。

老二说，打强心针，接起搏机。

一应措施做下。

完全没有反应。

月金的脸色已经趋于雪白。

全场傻眼。

美小护，一拳一拳打在月金的胸上，大喊："你呼吸呀！你呼吸呀！"忍不住泪流满面。

老二脸色和月金一样煞白。

老二掉头急奔回病区，我一看情势不对，赶紧跟上。

他忍着无比的愤怒，以几近将那个护士吃掉的眼神看着她说："你真的很不适合干这一行。"

死鱼脸护士一脸无所谓："关我什么事？他一直都好好的，他爸爸老是三分钟两分钟就叫我们。现在出事了，他爸爸倒不在了。家属不签字不能上呼吸机，这个是规定呀！我不过是照章办事。"

我低喝一声："你不要说话了，出去吧！"

今天是极其沮丧的一天。

你没办法忍受一个鲜活的生命从你面前就这样消失。尤其是这个男孩曾经给你唱过歌，这个男孩问你他出院后会影响泡妞吗。

我们不忍心看到月金的爹悲痛欲绝的脸和他不敢相信的神态。他问我们："我走的时候他都好好的，怎么回来就这样了？"我们答不出。因为我们也不明白。

月金爹趴在月金的病床上，久久不肯离开。

我静静陪了他一会儿，不知该说什么。月金爹说："大夫，你忙你的去吧！我一个人在这歇会儿。不耽误你工作了。"

我离开病房，去了休息室的更衣间。换好衣服，关了灯，我站在门边，黑暗让我觉得安全。我可以尽情挥发自己的伤感。

休息室的门开了，灯亮了。谁进来我也没看。

外面也是悄无声息。

该走了，我拉开门，正要出去，我看见一脸颓废和悲伤的老二四仰八叉地仰面朝天躺在会议桌的一边。

今天悲伤的，不止我一个。我犹豫着要不要出去安慰他。

门开了，进来的是美小护。

她轻轻走到桌边，摸了摸老二的脑袋。老二睁开眼，无助地看着她。

她一句话不说，静静地将老二的头揽在胸前，温柔地摸他的头，在他脸上拍拍。

老二突然用力将头埋进美小护的衣襟……

我赶紧把门关上。

我没有偷窥的癖好，虽然很精彩。

在这样的时刻，这两个人竟然……

压抑得很，没什么声音。

我在小房间里很难挨，这时间……

俩人怎么能办这么长？他们什么时候完？

好不容易安静了。我望门缝里看看，唉，他们也不走人，我还是不能出门。

完了完了，第二轮又开始了。天哪！他们今天晚上难道不回家了吗？

我的寻呼机不合时宜地响起来，捂都捂不住。

俩人停了动静转头看更衣室。

寻呼机又响，是急救中心，可能需要帮忙。

我拉开门，故作镇定地指指门外说："那个，急救中心呼我，你们忙，不打扰了。"

穿着白裙子的美小护坐在老二的腿上。

我仓皇逃走。

7 月 20 日

今天是我们科最困难的一天，我们不知要说多少 SORRY 加多少金钱才能弥补那个美好生命的逝去，而这个，是我们心甘情愿的。

老二请月金爹到办公室谈话，久久地，他一句话都说不出。

月金爹沉寂片刻，低头问："下面要办啥手续？"

老二答："要开死亡证明，要火化遗体。如果您有疑问，可以要求尸体解剖。"

月金爹问："你知道他是啥原因？"

老二答："我不知道。我猜可能是急性心力衰竭。至于为什么会有这种情况发生，我也说不清楚。对不起。"

月金爹："说对不起有啥用？"

老二不语。

月金爹："俺们好像还欠医院费用呢！咋结法？"

"那个……那个……我们会处理。您对我们有啥要求没有？"

"不用你们处理，俺有钱。俺们那一句老话，不能欠先生和大夫的钱。不然没人教书，没人看病了。"

252

"真的不用。月金的事,发生得太急促,没有给我们留下反应的时间。我们……很抱歉。你有啥要求没有?"

"火葬费贵不?"

"我们可以为您负担。"

"要是超出俺口袋里的钱,那就只好麻烦你们了。"

"您真的没啥要求?"

"没啥要求。大夫,你是好人。谁好谁坏,俺分得清楚。俺走了。"

7 月 26 日

月金的爹走了，带着月金的骨灰盒。

要是月金不来大上海，也许他还能活到四十。他还是可以泡妞，有一个后代。

我后来听说，月金爹没有理睬邻床人的劝告，要他问医院索赔。也没有理睬门口医闹的诱惑，他说他不拿儿子的命换钱。他甚至连医药费都没有欠，就那么走了。

老二难得做一回好事，结果真的有好报了。习惯了病患的纠缠，没想到这么容易就被放了一马。

每月一次的科会，讨论死亡案例。主任说："我们不要害怕面对病患的死亡。这是我们工作的一部分。哪个成名的医生背后没有几条人命呢？说得不好听一点，我们都是从死人堆里爬出来的。医学就是经验的科学，以前可能百分百死亡的案例，经过几次的摸索和总结，也许就能提高到 50%，到最后变成 1%。每一个逝去的患者，都不会白死，他们都是未来希望的奠基者。关键，我们要总结经验教训，看哪里有失误，哪里有可能提高，哪些风险可以避免。我们要尽量避免人为的失误，提高护理的能力，加强对这一类病人的预防和监管。能够学到东西，这个病例，就没有白做。王组长介绍一下你们上周死亡的那个病例。"

组长介绍完以后，轮到老二发言："从整个手术过程来看，我没有感觉到自己有什么严重的失误，但我的感觉，难道是输血量过大造成溶血性并发症？还有，这个年纪的年轻人，本身心脏病猝死率就比较高，会不会手术诱发了这一可能？"

各个组都讨论了这个病例的情况，发表了一下各自的见解。

最后，老二说："我不是推卸责任，我这里排除了手术的人为因素以后，我要谴责一下个别护士，在出现紧急情况的时候，在我反复强调我负责的情况下，依旧不采取急救措施，造成了也许是无可挽回的损失，也许我们速度快一些，是可以救回来的。"

麻醉科长立刻站起来说："你说的这点我不认同。规章制度，如果不按章办事，那就形同虚设。没有家属签字不能进行急救这是白纸黑字印在条款上的。你说你负责你负责，可到时候出了问题，追究的依旧是我们的责任。这样的事情以前不是没有过。我们护士也要保护自己的对吧？大家都是命，病患的命很珍贵，我们的命也很珍贵。我们这里护士被打的情况又不是一起两起。"

主任沉默了一会儿，说："责任感。这是我们从事这个行业所必需的。医生，就是治病救人。碰到紧急情况，要有变通，要有担当。因为你面对的是一条生命。早一秒就多一份希望。我记得八十年代中期的时候，我们这里有一位老医生，在来医院的路上，碰到一个病人心脏病突发，当时手头没有任何急救工具，就是口袋里有一支钢笔。以前医院的钢笔，都是那种尖头英雄笔。他就拔出笔芯，挤掉墨水，将笔尖直接插进病人的器官，开通了一条呼吸道，赢得了时间，挽救了病人的生命。这个时候，如果有一丝一毫的犹豫，掺杂一些个人的私心在里面，这个病人就完了。当然这个病人如果因为突发事件死掉，责任不在我们大夫，但你作为一个医生，你的内心，会为此而愧疚很久。内疚是一件很不舒服的事。 所以……"

有人接口说："主任，容我插一句话。有个词叫时过境迁。什么时代说什么样的话。那个时候，我想这个大夫一定没有想过，万一这个病人他没有救活，病患家属不但不感激他，还要告他这件事吧？这个故事听起来的确很感人，可要是从操作规范上说，是绝对够上法庭打官司的吧？现在每天，我们花大量的时间不是在研究如何提高医学技术上，而是撰写病例上，每一份病例放在你面前你都要考虑它未来如果作为呈堂证供，会不会给你带来不利。在这种情况下，大家都带着防备的心，把坐在你对面的病患当成假想敌，那么，你让我们医生舍身取义，有点难度吧？"

护士长接口道："就是。拿的是买白菜的命，操的是卖白粉的心。上头动不动就说为了十几亿病患的利益，就要牺牲掉几百万医务工作人员的利益。这也要我们牺牲，那也要我们牺牲，我们又不是猫，有九条命。宽容理解，是整个社会的事，大家都宽容，都理解，我们自然也就愿意牺牲了。整个大环境都是怕被骗，怕上当，怕担责任，那我们又怎能脱离大环境呢？"

再演变下去，就与医务检讨无关了。

主任示意停下，说："大家，都凭良心做事吧！不见得所有的患者都是坏人，霍大夫这次碰到的患者，就是很通情达理的好患者。病人家里这么穷，却穷得有骨气，没有一丝责怪我们，也没有为此牟利。大家不要光看黑暗的一面，也是有阳光的。有这样的病患群体支撑着，我们没有理由不为之献身。"

　　某医生接口："那只能说明一个社会现象：老实人吃亏。这个家属要是去告我们，要是胡搅蛮缠，怕是能搞到最少几十万的赔款吧？这社会，到底是在鼓励我们做老实人，还是鼓励我们做恶人呢？"

　　散会。

7 月 31 日

这一段心情不好，所以日记开了天窗。

赖月金的阴霾直到老大带回了好消息才让我们心里好受一点。

老大说，南南恢复得很好，到底是小孩，已经活蹦乱跳地去学校报名了。

老大说，我有一个想法。我想带南南去看一下那个失去女儿的家长，想让她知道他们是多么的伟大。我和老二心里犯嘀咕，心说，你家闺女好了，人家闺女没了，你这一去不是刺激人家吗？

我和老二的意见是还是要慎重。

到了周一见到老大，老大兴高采烈的，跟我说，周六去了萍萍家，萍萍妈妈见到南南第一眼的时候，泪流满面，以为是萍萍回来了。

他说萍萍妈妈在孩子去世后，身体也不好，心情也不好，抑郁症了都，一直没法上班，家里凄风惨雨的。南南也是乖巧，路上，南南妈妈一直告诉南南，她的命是萍萍给的，她能够去上学要感激萍萍妈妈。

南南一进门就喊萍萍妈妈为"妈妈"，倒是一点不认生，大人都惊奇，但我怀疑，萍萍那个肾是有记忆功能的。萍萍妈妈真把南南当自己孩子疼，一分钟都不肯离开她，伺候着吃，伺候着喝，带着她去附近的儿童乐园，要不是怕南南累了，他们俩都不舍得让南南走，多陪陪萍萍妈妈。他们已经约好了，下周末还去萍萍家。

"没有孩子的日子，真不是人过的啊！萍萍妈妈到现在一张嘴，喊我们家南南就是萍萍，改不过来。她每次一喊，我心都疼。想想，要不是萍萍家人的仁厚，现在我们家也许就这状况。我想过了，南南能活着，我就已经满足了，南南不是我一个人的，她也是萍萍家的闺女。有俩爹俩妈，真是不错呢！"

我和老二都笑他有心霸占人家家产。

舍得，舍得。没有舍，哪里有得？

8月9日

所有的悲伤都会被岁月淡忘。人的记忆选择性记录欢乐时光。

老二突然跑来说："我要结婚了。"

我说："和小美吧？"

他嘿嘿一笑。

我说："你俩是天作良缘。你转了那么大一圈，最终还是找了女护士。这是魔咒。"

他说："你不问我为什么娶她？"

"都是乡里乡亲的，你都那样人家了，再不娶，以后人家咋嫁人啊！尤其是断了人家在医院里找的路。我可不希望未来咱们科的谁和你成了亲戚。"

"你胡说八道啥呀！小美同学，怀孕了。"

"一枪中的啊！准头好的。"

"老人说的话，都是真理啊！我妈说，千万不要和女护士搞七廿三。"

我哈哈大笑，原来当年他也是这样一枪中弹的。我印象里他娘很难说话，现在他带一个老护士回家，还不怎么太漂亮，他妈心里肯定不平衡，美小护未来的日子不好过啊！

"什么时候说什么话。她还一直催我结婚给她抱孙子呢！我二十几岁的时候她对我是有要求的，这不能找那不能找，等我过了三十，她就希望我快点结婚，过了三十五，就希望我不要是同性恋就行了。现在有孙子抱，对她来说，就可以告慰我家祖先了。她的欢天喜地已经让她忘记了她曾经立下的规矩。"

我让他对小美好一点。她一直挺喜欢老二的。我们都看得出。

"我会的！她是我小孩的妈。其实我也很喜欢她。她跟我说怀孕的时候，那态度，简直像革命义士一样。说，我怀孕了，你不要怕，我不会讹上你的。呵呵。"

"你怎么说？"

"我说，生下来啊！我其实当时很高兴。真实的高兴。我已经非常清楚自己要什么样的女人了，就她了，不变了。"

"恭喜你，新郎官。"

8 月 10 日

李刚的滑铁卢。

李刚说他辗转反侧，认为自己已经摸清楚小玉的心思以后，才出手的，没想到被拒，太不给面子了。我于是又陪他喝失恋酒。

周五晚上，深更半夜，李刚鼓起万分勇气给小玉发个短信："我想我爱上你了，我希望明天吃饭的时候能够牵你的手。如果你也有此意，饭前请你点玫瑰茶。如果没有，我们就做好朋友。"

我问他，然后呢?

他还有心情跟我渲染了一下悲情气氛，他说饭店无比浪漫，还有好多男的带着玫瑰。李刚一进饭店就懊悔，心说自己也该带一朵。因为后来他才知道，那天竟然是七夕。日子选得不好，牛郎织女，后来不还是分隔两地了吗?

李刚的务实精神让他买了一条价值不菲的手链，他觉得这个很实惠，花会枯萎，而手链会一直戴在小玉的手上，像手铐一样栓住小玉的心。

饭前，李刚问小玉，你喝什么茶?

小玉说，菊花。

262

李刚心一沉，说，确定？

小玉说，就菊花啊！清火。

李刚不死心，问，你不喝玫瑰茶？

小玉说，那个太浓郁，不适合我，就菊花吧！

那顿饭吃得让李刚了无意思，什么菜都不合口，然后礼貌地跟小玉道别。然后就没下文了。

李刚这个人，因爱生恨，现在全然没了前一段的柔情蜜意，愤愤地说：这个霍小玉很不简单，基本上就是个女骗子，对他距离拿捏得恰到好处，目的就是为了让他照顾她的母亲。其实她就是作为朋友这样要求，他也会的，何必给他错误信息呢？

我哑然失笑，说老实话，我觉得李刚没肚量了。人家不爱就不爱，何必在被拒后这样没气度？我早就提醒过他，人家的一颦一笑不过是自然率性，因他肚子里有鬼，于是人家也欲拒还迎了。

我看那个霍小玉，挺好的，大大方方的一个女子。

9 月 12 日

下面是我的故事，这个漫长的故事。

那个老太，陆陆续续又开了四刀。

人说亡羊补牢，我认为这是不正确的。有些牢可以补得上，有些补不上了。人命就是这样的。我的快乐与忧伤，被这老太太左右。她时好时坏。好的时候让我幻想有一天她突然站起来，就那么走出病房，一切就皆大欢喜了。

可没好两天，她就又迷糊了，意识不清。

几次病危通知书下去，她家的三姑六婆、儿子孙女就披麻戴孝哭丧着脸来医院闹，其中有一次她儿子在我们的重症看护室里就地打滚，来了好几个保安才把他丢出去。

老二有一回被围攻到差点翻脸，打了电话叫黑道的朋友来门口殴斗。

他黑道的朋友说："你可想好了。我这一进去，性质就变了。能帮你出一口气，但未来怎样你想清楚了吗？"

老二想半天，将电话挂了。那一天，他的胳膊被老太家的妇女同志抓出 N 条血道。他不得不跟所有的同事解释，这个是医患纠纷造成的，不是我个人情感花絮，尤其跟我怀孕的老婆没有关系。

我其实非常想将这个老太在我的人生日记里跳过，这样我就能避免提起这一段败走麦城。但可惜，这老太好像在我的生命里起着某种神明意义的指引，我必须不时回来补记她的片段。因为她在我最近奇特的经历里，有着穿针引线的作用，我必须要把她变成我人生字典的一部分，绕不过去。

有鉴于李刚的短命爱情未开张即关门，我适时将霍小玉引进我们科里，以缓解李刚的压力。我跟霍小玉说，她妈妈可以做手术了。霍小玉妈妈的床，就在那个倒霉老太的旁边。

她妈妈精神上受过刺激，颠三倒四的，经常在病房里对她大发雷霆，她总是笑眯眯的，脾气极好。

连护士台的人都听不下去，见我来了跟我说她的不平。

有一天，她邻床的那个老太，超级无敌霉奶奶的护垫没有了，屎尿弄了一床，护工抱怨，没好气。

护工的钱，现在已经是科里垫付。那家人也许巴不得她快快死去。一天不死，一天没有理由索赔。所以，平日里，只要老太显得还有点精神，他们已经不来探望了，只闻讯说老太要不行了，才会匆匆赶来，还带着哭腔。现在连老太都知道家里的情况了，自己清醒的时候会叹息说，久病床前无孝子。曾经有一次跟我说，你去，跟他们说，我病危了。

我不肯。

我知道，老太只是想家想孩子们了。可孩子们好像并不想她。我怕我狼来了次数多了，以后老太真挂了，没人出现。我就更说不清了。

我和老太，大约前生曾有过啥机缘。因为有一本美国心理医生写的书，说人的前生、今世和来生是一幕一幕的连续剧，你今世所有遇到的人，前生后世都会跟你有交集，只是身份变了而已。那个医生说，他自己的一个病人，他催眠后发现，自己今生是她的心理医生，而前生是她的高中老师。

所以，我想，这老太，上世搞不好是我的债主，今生继续来讨债，我一定要对她好一点，把这个冤冤相报给了却，我实在是不想下辈子还碰到她，或者以另一种追讨的姿态出现。而我也默默许愿了，我们的恩怨到此为止，即使我对她的付出超过她追讨的部分，我下辈子也不想再索要了，最好永世不见。

感情绝对是相处出来的，老太因为也没啥亲人探望和聊天，只要见到我就像见到亲孩子一样，弄得我从以前喊她张凤仙，到现在喊她张奶奶，而且心甘情愿地在她需要钱的时候，主动贡献。

我已经说了原因了，我当现在在还上世的债。这样安慰自己，心平气和。

本来，张奶奶的护垫，应该是我买。但我恰巧不在，断了顿了，霍小玉在旁边看见了，替老太买了护垫。

我实在没有理由让不相干的人替我承担失误，我赶紧将钱给她，又多给了她一点，并请她代为观望着，万一缺什么，先替我补上。

霍小玉笑说："你们，挺不容易的。治了病，还得贴钱。"

我说："这不是常态，这是变态。不常有，要是天天都这样，我们就变成福利院了。"

我以前是查房的时候顺带去看看老太太，现在有事无事都会转转，掐着小玉去看她妈妈的点。

我挺喜欢这个女子的。她有一种奇特的亲和力，而且温顺中带有一种力量，让你觉得不屈。说不清，有点汤唯的劲。

现在已经发展到，我们俩没事就在一起聊天。我现在终于明白一点，像美小护和霍小玉这样的女孩，人生里是不需要上相亲节目的，除非她们自己挑剔，否则永远不可能缺男人喜欢，如果给她们足够长的时间表现。

舒服。

她让你觉得没什么问题是不可谈的，你所有的情感，她都能理解。即使在我跟她检讨我对张小蕾的怯懦的时候，她依旧可以笑着握握我的手说："我也有过懦弱的时候。其实过失是成熟的代名词，失误是为未来的成功做准备的。"

她让我心里宽慰许多。

现在，我和李刚调了个个儿。明天晚上，我请李刚吃饭。

9 月 13 日

我跟李刚说，如果他不介意，我想追霍小玉。李刚表情很复杂，我知他觉得我伤害兄弟情分了。如果我追不到，我们俩未来的相当长一段时间里是同情兄，如果我追到了，他很没面子。可是，感情这个东西，比兄弟情分要重要多了。我的确可以为爱情，插兄弟一刀。

我俩奇怪地换位了，他在说我当年跟他说的话：这个女孩子家庭背景太复杂，她的内心很难被了解，她看起来很容易交往，实际上把自己包裹得很严，而且，有个精神病的母亲，未来的日子要比正常家庭艰难，他劝我三思。

然后我像他当年那个傻瓜样地答他：我不介意。

OH! MY LADY GAGA! 不要怪琼瑶的电影很让人起鸡皮疙瘩，其实让人起鸡皮疙瘩的，是盲目的爱情本身啊！

我打算，吸取李刚失败的教训，不搞短信那一套，直接跟霍小玉坦白，就让她当面拒绝我算了。

就明天。

图书在版编目（CIP）数据

心术/六六著.—上海：上海人民出版社，2010
ISBN 978-7-208-09390-4

I.①心… II.①六… III.①长篇小说—中国—当代
IV.①I247.5

中国版本图书馆CIP数据核字（2010）第121189号

责任编辑　施宏俊　刘宇婷
装帧设计　水玉银文化

世纪文景

心术
六六　著

出　　版　世纪出版集团　上海人民出版社
　　　　　（200001　上海福建中路193号　www.ewen.cc）
出　　品　世纪出版股份有限公司　北京世纪文景文化传播有限责任公司
　　　　　（100027　北京朝阳区幸福一村甲55号4层）
发　　行　世纪出版股份有限公司发行中心
印　　刷　北京鹏润伟业印刷有限公司
开　　本　680X980毫米　1/16
印　　张　17.25
插　　页　2
字　　数　205,000
版　　次　2010年8月第1版
印　　次　2010年9月第2次印刷
I S B N　978-7-208-09390-4/I·800
定　　价　28.00元